Sprachbuch 2

Herausgegeben von

Gisela Dorst

Erarbeitet von

Christine Berthold

Gisela Dorst

Gudrun Hütten

Inge Kanduls

Hartmut Kulick

Klaus Ohnacker

Britta Sauerwein

und der Cornelsen Redaktion Primarstufe

Unter Beratung von

Daniela Faber, Buseck

Claudia Frey, Esslingen

Jutta Liese, Hagen

Judith Petereit, Bietigheim-Bissingen

Catrin Puschmann, Visselhövede

Barbara Riese, Heidelberg

Marlies Scherpe, Detmold

Ingrid Wiemann, Frankfurt

Inhalt

Schreibaufgabe

 Gesprächskreis

 Partner- oder Gruppenarbeit

 Lolli-Aufgabe

 Pop-Aufgabe

 Detektivaufgabe

 Lerntagebuch

 Wörter nachschlagen

 Abschreiben

 Partnerdiktat

 Dosendiktat

Ich und die anderen

Zwei, die sich streiten.
Zwei, die auf dem Reifen reiten.

Eine oben auf dem Klettergerüst.
Einer, der sein Pausenbrot isst.

Einer, der klatscht,
weil sie einen Handstand macht.

Findest du sie?

andere Kinder bewusst wahrnehmen und beschreiben;
Wer-Fragen zum Bild beantworten; mit Namen umgehen;
Sätze zum Bild schreiben; Großschreibung von Namen

In unserer Klasse sind viele Kinder

1 Beschreibe ein Kind vom Plakat.
Die anderen müssen raten, wen du meinst.
Oder:
Spielt das Ratespiel in eurer Klasse.

Mein Kind hat glatte braune Haare.

Mein Kind hat einen blauen Pulli an.

Mein Kind trägt eine Brille.

Mein Kind hat eine Kette um.

2 Wer tut was? Schreibe es auf.
Unterstreiche die Namen mit Blau.
Ina gießt die Blumen.
Can …

Wer legt das Spiel in das Regal?

Wer bekommt eine Schere?

Wer gießt die Blumen?

Wer putzt die Tafel?

Wer schreibt?

die Gesprächssituation betrachten;
über Gründe für Gesprächsregeln nachdenken;
Gesprächsregeln schreiben und mit den Klassenregeln vergleichen

Manchmal braucht man Regeln

1 Ist es schon passiert, dass in eurer Klasse jemand nicht zu Wort gekommen ist? Wie habt ihr die Situation gelöst?

Vorschläge für Regeln im Gesprächskreis

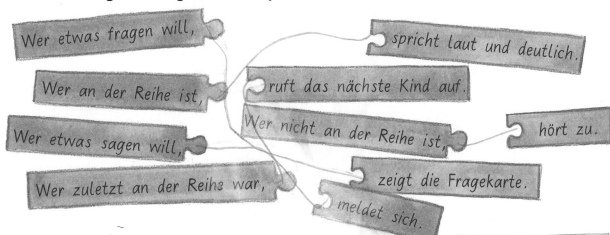

Wer etwas fragen will,

spricht laut und deutlich.

Wer an der Reihe ist,

ruft das nächste Kind auf.

Wer nicht an der Reihe ist,

hört zu.

Wer etwas sagen will,

Wer zuletzt an der Reihe war,

zeigt die Fragekarte.

meldet sich.

2 Suche zu jedem Anfang eine Fortsetzung.
Oder:
Denke dir selbst eine Fortsetzung aus.
Regeln im Gesprächskreis

3 Vergleicht diese Regeln mit den Regeln in eurer Klasse. Braucht ihr in Klasse 2 neue Regeln?

4 Schreibt eure Gesprächsregeln auf ein Plakat.

Unsere Gesprächsregeln

Wer etwas sagen will ...

das Alphabet kennen lernen;
das ABC-Gedicht auswendig lernen;
den Sachtext lesen

Kannst du das Alphabet?

A B C D E F G
Puderzucker ist kein Schnee.
H I J K L M N O P
Badewasser ist kein See.
Q R S T U V W
Limonade ist kein Tee.
X Y Z
Die Schulbank ist kein Bett.

1 Lerne das ABC-Gedicht auswendig.
Oder:
Schreibe das ABC-Gedicht ab.

2 Was weißt du schon vom Alphabet?

Das Alphabet
In der 1. Klasse lernen die Kinder alle Buchstaben unserer Schrift:
das ABC oder Alphabet genannt (sprich: Alfabet).
Der Name kommt von Alpha (sprich: Alfa) und Beta.
Das sind die ersten Buchstaben des griechischen Alphabets.

3 Lest den Text zu zweit.
Was ist neu für euch?

4 Schreibe das ABC auf.
A, B, C, ...
Male um den Anfangsbuchstaben deines Namens eine Sonne.

5 Auch andere Sprachen haben ein Alphabet.
Finde jemanden, der den Anfang des Alphabets
in einer anderen Sprache aufsagen kann.

Nutzen alphabetischer Ordnung erfahren;
alphabetische Ordnung üben;
ein Namen-ABC für die Klasse gestalten

Das Alphabet hilft beim Suchen und Ordnen

Ich will
Oma schreiben.
Jonas

Wie wird
das Wort für ⚓
geschrieben?
Paul

Wo sind
Zebras zu Hause?
Lena

Wie lautet
die Telefonnummer
der Feuerwehr?
Marie

1 Mit welchen Büchern können die Kinder die Fragen beantworten?

2 Schreibe die Antworten auf.

Lena sucht im ...

3 Schreibe die Mädchennamen aus der Randliste ab.
Suche einen Jungennamen mit dem gleichen Anfangsbuchstaben.
Schreibe mit Blau.

Namen

Mädchen	*Jungen*
Anna	...

Oder:

Probiere es mit den Jungennamen.
Suche einen Mädchennamen mit dem gleichen
Anfangsbuchstaben.

4 Schreibt und malt ein Namen-ABC für eure Klasse.

Anna
Benjamin
Can
David
Emma
Felix
Goran
Hanna
Ina
Jonas
Kai
Lena
Marie
Nina
Ole
Paul
Quendoline
Robin
Sophie
Tim
Ulrike
Vanessa
William
Xaver
Yasmin
Zoe

nach Bildern eine Streitgeschichte erzählen;
Konfliktlösungsmöglichkeiten besprechen;
Pausenregeln aufstellen; Lückentext vervollständigen

In der Pause auf dem Schulhof

1 Erzählt zu der Bildgeschichte.

2 Überlegt gemeinsam, wie die Geschichte ausgehen könnte.

3 Welche Pausenregeln braucht ihr?

Unsere Pausenregeln
1. Wir vertragen uns.
2. Wir fragen, ob wir mitspielen dürfen.
3. Wir sind freundlich zueinander.
4. ...
5. ...

Streit entsteht – Streit vergeht

 und spielen in der Pause auf dem Hof.

Auf einmal fliegt der 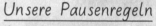 gegen die → von .

 schreit:  antwortet:

Und so vertragen sie sich wieder:

4 Schreibe die Geschichte auf.
Ersetze die Bilder und Sprechblasen durch Wörter und kleine Sätze.

stimmliche Ausdrucksmöglichkeiten erproben;
Entschuldigungssätze finden;
zu Bildern schreiben

Entschuldige bitte!

1 Wenn man sich streitet, werden viele Sätze gesagt:
wütende, böse, versöhnliche …
Lest die Sätze vor. Spielt auch mit eurer Stimme.

2  Welche Sätze eignen sich, um einen Streit zu beenden?
Schreibe die Sätze ab, die du geeignet findest.
Oder:
Finde eigene Sätze und schreibe sie auf.
Zeichne Sprechblasen drum herum.

3 Such dir eins von den Bildern aus.
Was fällt dir dazu ein? Schreibe es auf.
Oder:
Schreibe eine Geschichte zu den Bildern.

Pop als Leseforscher und Lolli als Rechtschreibforscherin kennen lernen;
Übungstext und Übungswörter einführen;
Pops Leseforscher-Tipps kennen lernen und erproben

Ich bin Lolli,
die Rechtschreibforscherin!
Ich helfe dir, richtig
schreiben zu lernen!

Ich bin Pop,
der Leseforscher!
Ich helfe dir, den Text
zu verstehen!

In der Pause

Benjamin putzt die Tafel in der Klasse.

Marie bringt die Spiele ins Regal.

Kai gibt der Blume Wasser.

Anna und Tim spielen schon im Hof

und die anderen Kinder auch.

die Pause
die Tafel
die Klasse
das Spiel
das Regal
die Blume
der Hof
das Kind
putzen
bringen
spielen

Das sind meine Tipps.
Damit kannst du den Text
gut verstehen.

So geht's!

Was fällt mir zur
Überschrift ein?

Ich lese den Text
halblaut vor.

Ich stelle Fragen
zum Text.

Ich lese den Text
genau. Kann ich mir
alles vorstellen?

Welches Wort kenne
ich nicht?

1 Das sind meine Fragen zum Text:

Wer putzt
die Tafel?

Was macht
Kai?

Wo sind die
anderen Kinder?

2 Findest du noch andere Fragen zum Text?

Lollis Rechtschreibforscher-Tipps kennen lernen und anwenden;
Stolperstellen in den Wörtern finden;
weitere Wörter mit den gleichen Stolperstellen nennen

Ich unterstreiche die Übungswörter.

Das sind meine Tipps. Damit kannst du in die Wörter gucken.

Ich markiere die schwierige Stelle farbig und begründe sie.

So geht's!

Ich lese Satz für Satz, schaue in die Wörter und suche die Stolperstellen.

Was weiß ich schon von den Wörtern?
Achtung:
Wir können uns auf das Ohr nicht verlassen!

Was ist für mich schwierig? Worüber muss ich nachdenken?

(ass)
Klasse
Wasser
fassen
nass

In der <u>Pause</u>

Benjamin putzt die <u>Tafel</u> in der <u>Klasse</u>.
Marie bringt die Spiele ins Regal.
Kai gibt der Blume Wasser.
Anna und Tim spielen schon im Hof
und die anderen Kinder auch.

die Pause
die Tafel
die Klasse
das Spiel
das Regal
die Blume
der Hof
das Kind
putzen
bringen
spielen

Wer kennt noch mehr Wörter mit ass?

Dann kann ich ja ganz viele Wörter richtig schreiben!

fassen

ass ist eine Stolperstelle bei Klasse.

nass

Wasser ist auch ein Wort mit ass.

Einführung der Schritte zum Textabschreiben;
den Übungstext abschreiben;
Stolperstellen markieren; Übungswörter unterstreichen

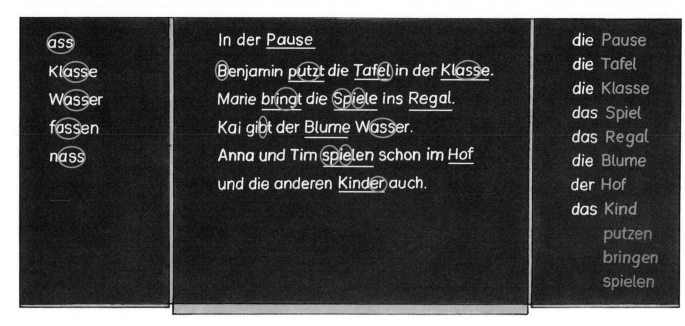

ass
Klasse
Wasser
fassen
nass

In der Pause

Benjamin putzt die Tafel in der Klasse.

Marie bringt die Spiele ins Regal.

Kai gibt der Blume Wasser.

Anna und Tim spielen schon im Hof

und die anderen Kinder auch.

die Pause
die Tafel
die Klasse
das Spiel
das Regal
die Blume
der Hof
das Kind
putzen
bringen
spielen

1 Schreibe den Text ab.

Diese Tipps helfen dir beim Abschreiben.

So geht's!

Lies zuerst den ganzen Satz.

Denke nach, ob du alles verstanden hast.

Schau dir genau das Wort oder die Wörter an.

Schreibe richtig ab. Achte auf die Schreibhaltung.

Kontrolliere Wort für Wort und korrigiere.

2 Markiere die Stolperstellen in deinem Text.

3 Unterstreiche die Übungswörter, wie es Lolli dir gezeigt hat.

Silben zu Wörtern zusammensetzen;
Übungswörter nach dem Alphabet ordnen;
Wörter bilden; Sätze bilden

Hier kannst du
die Wörter üben!

Kannst du sie
schon aus dem Kopf
schreiben?

1 ✎ Hier haben sich Übungswörter versteckt.

Setze die Silben zusammen. Zeichne die Silbenbögen unter die Wörter.

Blume, ...

Blu	spie	Klas	put	Pau	brin
se	me	len	se	gen	zen

2 ✎ Ordne die Wörter nach dem ABC.

Blume, ...

Pause	Blume	Spiel	Regal
Tafel	Hof	Name	Kind

3 ✎ Bilde Wörter mit (ass) und schreibe sie auf. Markiere (ass).

Klasse, ...

T	W	G	n			e	er
					ass		
R	Kl	K	f			en	el

4 ✎ Baue mit dem Satzschieber Sätze.

Anna spielt mit dem Ball.

Oder:

Baue längere Sätze.

Anna spielt in der Pause mit dem Ball.

Das Kind		in der Klasse.
Die Kinder		auf dem Hof.
Anna		zu Hause.
Kai	spielt	in der Pause.
Mama	ist	mit dem Ball.
Opa	spielen	mit Murmeln.
	sind	

Das wollte ich schaffen:

Ich wollte einen Text richtig abschreiben.

Wie schwer war das für mich? 😐

Wie sehr habe ich mich angestrengt? ☺

Habe ich geschafft, was ich wollte? ☺

Warum?

Ich habe geschafft, was ich wollte,
weil ich mich genug angestrengt habe.

Wie fühle ich mich jetzt? ☺

Robin

1 ✎ ▱ Was wolltest du schaffen?
Schreibe, wie Robin es dir gezeigt hat.

Einen Text richtig abschreiben.	*Schöne Namen sammeln.*	*Das ABC auswendig lernen.*
Das ABC-Gedicht schön vortragen.	*Den Text von Seite 8 lesen.*	*?*

Marie

Es ist Pause. Marie soll die Tafel putzen.

Aber sie will lieber spielen. Die Lehrerin fragt: „Warum?"

Marie antwortet nicht. Sie geht einfach auf den Hof.

2 ✎ Schreibe den Text richtig ab.
Probiere aus, wie die fünf Schritte dir bei diesem Text helfen.

3 ✎ Denke dir einen Schluss
für die Geschichte aus.
Schreibe ihn auf.

4 💡 Bereite dich vor, den Text
vorzulesen.

 So geht's!

Vorlesen
Lies den Text zuerst leise, dann halblaut.
Was möchtest du besonders betonen?

Wir schnuppern, schauen und spüren

Wir sind fünf und machen reich

Wir lauschen, horchen und hören.

Wir tasten, fühlen und spüren.

Wir schnuppern, schnüffeln und riechen.

Wir naschen, lecken und schmecken.

Wir sehen, gucken, entdecken.

Wir zeigen euch die Wunder-Welt.

Ihr werdet reich, ganz ohne Geld.

von eigenen Erlebnissen mit Sinneswahrnehmungen berichten;
über das subjektive Empfinden von Lärm diskutieren;
Sätze zu den Sinneswahrnehmungen schreiben

Zu Hause mit allen Sinnen

1 Sprecht über die Leute im Haus.
Erzählt, ob ihr schon Ähnliches erlebt habt.

2 Schreibe die fünf Sätze richtig auf.

Die Ohren	sehen	den Rauch.
Die Nase	schmeckt	das Salz.
Die Zunge	fühlt	die Musik.
Die Haut	riecht	den Topf.
Die Augen	hören	die Wärme.

Wörter für laute Geräusche bewusst sprechen;
über das subjektive Empfinden von Lärm schreiben;
Gedicht gestaltend vortragen

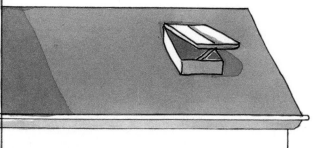

Mein Glück

Draußen kreischt die Straßenbahn.
Drüben grölt ein Blödian.

Über mir tobt ein Klavier,
nebenan ein Hundetier.

Unten dröhnt das Radio
und das Wasser rauscht im Klo.

In der Küche pfeift der Topf
und ein Hammer übt klopf-klopf.

Doch mir macht das gar nichts aus –
denn ich bin ja nicht zu Haus!

Max Kruse

1 Lies das Lärmgedicht erst leise, dann laut.
Betone die Geräuschewörter.

2 Stört Lärm immer?
Lies den letzten Satz des Gedichtes genau.
Schreibe auf:
Lärm stört mich, wenn …
Lärm stört mich nicht, wenn …

3 Übt, das Gedicht mit anderen zusammen vorzulesen.
Teilt das Gedicht in Abschnitte.
Jeder Abschnitt wird von einem anderen Kind vorgelesen.

spielerisch mit Nomen umgehen;
Nomen nach Oberbegriffen ordnen;
die Wortart Nomen (Namenwort) kennen lernen

Dinge, die wir sehen

> Ich sehe was, was du nicht siehst, und das hängt an der Wand.

> Ich sehe was, was du nicht siehst, und das ist grün.

1 Was können die Kinder erraten haben?
Spielt das Spiel in eurer Klasse.

Das haben die Kinder erraten:

die Uhr   der Vogel   der Tisch   die Katze

der Fisch   das Mädchen   die Blume   das Buch

die Pflanze   der Baum   die Lehrerin   der Junge

2 Schreibe die Wörter geordnet auf.
Menschen: die Lehrerin …
Tiere: …
Pflanzen: …
Dinge: …
Du kannst die Reihen noch mit eigenen Wörtern auffüllen.

> Namen für Menschen, Tiere, Pflanzen und Dinge heißen **Nomen (Namenwörter)**.
> **Nomen (Namenwörter)** werden immer großgeschrieben:
> die **Lehrerin**, der **Vogel**, die **Blume**, das **Buch**.

3 Übermale den Anfangsbuchstaben bei den Nomen (Namenwörtern) blau.

4 In jeder Reihe ist ein Wort falsch. Schreibe die Reihen richtig auf.

der Igel, die Maus, das Auto, das Pferd

der Ball, das Kind, die Tasche, das Heft

das Gras, die Hecke, der Baum, der Mann

das Gedicht lesen; sich mit dem Inhalt auseinandersetzen;
zu eigenen Erfahrungen in Beziehung setzen;
angeleitet durch das Gedicht einen eigenen Text schreiben

Rosalinde hat Gedanken im Kopf

Rosalinde hat ein Loch im Socken.
Rosalinde hat einen Verband ums Knie.
Rosalinde hat einen Marienkäfer in der Hand.
Rosalinde hat eine Kette um den Hals.
Rosalinde hat Gedanken im Kopf.

Die Mama sieht das Loch im Socken.
Der Papa sieht den Verband ums Knie.
Die Katze sieht den Marienkäfer in der Hand.
Die Oma sieht die Kette um den Hals.
Die Gedanken im Kopf sieht niemand.
„Das ist sehr gut so!", sagt Rosalinde.

Christine Nöstlinger

1 Warum ist Rosalinde froh, dass niemand ihre Gedanken sieht?

2 Male Rosalinde. Schreibe in eine Gedankenblase, was sie denkt.

3 Warst du auch schon einmal froh, dass keiner sehen konnte, was du denkst? Erzähle davon.

4 Schreibe einen Text von Lara oder Tim.
Oder:
Schreibe von dir.

Tim hat Turnschuhe an den Füßen.
Tim hat ...

...

Die Mama sieht die Turnschuhe an den Füßen.
Der Papa sieht ...

...

Und das denkt Tim:

...

mit Hilfe der Sinne Laute erkennen;
Begriffe Selbstlaute und Mitlaute kennen lernen;
lange und kurze Selbstlaute unterscheiden

Laute hören – Buchstaben schreiben

1   Versuche, die Laute **a**, **e**, **i**, **o**, **u** an der Form
des Mundes zu erkennen.

> **A**, **e**, **i**, **o**, **u** nennt
> man **Selbstlaute**.
> Alle anderen Laute
> nennt man **Mitlaute**.

2   Findet heraus, wie im Mund die Laute
a, **e**, **i**, **o**, **u** gebildet werden. Überlegt,
warum man sie Selbstlaute nennt.

3   Manche betonten Selbstlaute klingen lang, manche kurz.
Teste es bei den Wörtern.

4   Schreibe die Nomen (Namenwörter) von Aufgabe 3 ab.
Male einen Punkt unter einen kurzen betonten Selbstlaut.
Male einen Strich unter einen langen betonten Selbstlaut.

kurz .	lang _
das Wạsser	die Nāse

1 Versuche, die Nomen (Namenwörter) ohne die Selbstlaute zu lesen.

1 der B_ll

6 die Bl_m_

4 das Br_t

2 der T_ll_r

3 der F_sch

5 der K_pf

2 ✏ Schreibe die Wörter mit den Selbstlauten auf: *der Ball, ...*

Oder:

Schreibe die Wörter in der Reihenfolge der Bilder mit den Selbstlauten auf.

1 der Ball, ...

3 ✏ Simsalabim und Sumsalabum, jetzt wandeln wir die Wörter um.

Schreibe die Wörter auf. Übermale den Selbstlaut, den du verwandelt hast.

die Hand – der Hund, ...

Armer Hose

Ein kleiner <u>Hose</u> lief durch den <u>Wild</u>. Der <u>Wand</u> heulte über den <u>Burg</u>.
Die <u>Lift</u> war kalt. Wolken zogen über
den <u>Hammel</u>. Der kleine <u>Hose</u>
dachte: „Warum muss ich
heute in die <u>Hosenschale</u>?"

4 Hier stimmt doch etwas nicht. Finde es heraus.

5 ✏ Schreibe die unterstrichenen Wörter so auf: *Hose – Hase, ...*

Oder:

Schreibe die Geschichte mit den richtigen Nomen (Namenwörtern) ab.

Pops Lese- und Lollis Rechtschreibforschertipps anwenden;
den Übungstext abschreiben; die Übungswörter trainieren;
Wörter einprägen

der	Hund
das	Blatt
der	Ball
	sehen
er	sieht
	suchen
sie	kann
	raten
	groß
	rot
	gelb
	klein
	blau

Ich sehe was, was du nicht siehst

Tim und Anna spielen auf dem Hof. Tim sieht
einen großen Hund, eine rote Blume, gelbe Blätter
und einen kleinen Ball. Er sucht etwas aus und
das ist blau. Kann Anna es raten?

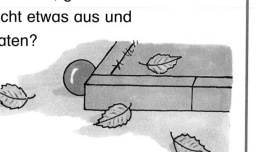

1 Erforsche den Text.
Denke an meine Tipps.

2 Das sind meine Fragen zum Text:

Wo spielen Anna und Tim?

Was sieht Tim?

Welche Farbe hat die Blume?

Findest du noch andere Fragen zum Text?

3 Erforsche die Wörter.
Denke an meine Tipps.

4 Schreibe den Text ab.
Denke an die fünf Schritte:

5 Markiere die Stolperstellen. Unterstreiche die Übungswörter.

So geht's!

Wörter einprägen in sechs Schritten

1. Lies das Wort halblaut.
2. Denke nach, ob du es verstehst.
3. Was weißt du von dem Wort? Worüber musst du nachdenken?
4. Präge dir das Wort gut ein.
5. Augen zu! Flüstere das Wort. Ist es im Kopf? Vergleiche.
6. Sprich das Wort flüsternd und schreibe es. Kontrolliere sofort.

Übungswörter trainieren; lange und kurze Selbstlaute;
Sätze bilden; Arbeit mit der Wörterliste;
Wortgrenzen erkennen; Großschreibung von Nomen

1 Die Lösungswörter der Geheimschrift stehen bei den Übungswörtern.
1 Blatt, …

2 Teste bei den Wörtern: Welche betonten
Selbstlaute klingen lang, welche kurz?

lang –	kurz .
r<u>o</u>t	K<u>o</u>pf

rot | Kopf   Hand | raten

Junge | suchen   riechen | Fisch

sehen | schmecken   Loch | groß

3 Immer zwei Selbstlaute sind vertauscht.
Schreibe die Wörter richtig auf.
eine rote Nase, …

ein galbes Blett

ein benter Tuller

ein grußer Hond

ein wormes Brat   eine grune Blüme   eine rate Nose

4 Wer sieht was? Bilde Sätze.
Tim sieht einen gelben Ball.

Wer	sieht	was?
Tim		
Anna		
Er	sieht	
Sie	sehen	
Die Kinder		
Wir		

5 In der Wörterschlange sind zehn Nomen (Namenwörter) versteckt.
Schreibe sie auf. Übermale den großen Anfangsbuchstaben.
das Kind, …

KINDBLUMEBLATTSPIELHUNDBALLJUNGEBROTNASETELLER

Das Gedicht über Rosalinde finde ich gut, weil ...

Das Besondere an den Nomen (Namenwörtern) ist, dass ...

Richtig anstrengend war die Aufgabe ...

Ich kenne den Unterschied zwischen Selbstlauten und ...

Ich weiß jetzt, ...

1 Was denkst du?

Suche dir zwei Sprechblasen aus. Schreibe die Sätze ab und beende sie.

2 Finde heraus, welche Wörter Nomen (Namenwörter) sind.
Schreibe sie geordnet auf.

Menschen, Tiere, Pflanzen, Dinge

Namen für ...

TASCHE   MÜDE   LÖWE   ROSE

LUSTIG   KIND   SAUBER   VATER   LEHRER

KURZ   APFELBAUM   FENSTER   SCHLANGE

3 Schreibe die Nomen (Namenwörter) auf. Überprüfe mit der Wörterliste.

4 Prüfe die Nomen (Namenwörter) aus Aufgabe 3.
Male einen Punkt unter einen kurzen betonten Selbstlaut.
Male einen Strich unter einen langen betonten Selbstlaut.

Sonne, Luft und Regen

Wettererscheinungen und das subjektive Empfinden besprechen;
Schreibideen entwickeln;
einen eigenen Text schreiben

An jedem Tag ein anderes Wetter

1 Schaut euch die Wetter-Wunder-Landschaft
genau an. Was tun die Menschen
bei Sonnenschein, bei Wind, bei Regen
oder bei Schnee?

2 Beschreibt das Wetter, das heute bei euch ist.
Für wen ist es gut?
Für wen ist es schlecht?

3 Schreibe, warum das Mädchen im Regen denkt:
„Ausgerechnet heute muss es regnen!"
Sammelt zuerst Ideen und stellt sie in der Klasse vor.
Oder:
Schreibe darüber, wie für dich einmal genau das richtige Wetter war.

in einem Text bestimmte und unbestimmte Artikel ergänzen;
Begriff Artikel (Begleiter) kennen lernen;
zusammengesetzte Nomen bilden

Wetterwechsel

… Wetter ist mal so oder so.
Heute scheint … Sonne. … Himmel
leuchtet blau und … Luft ist warm.
Aber plötzlich weht … starker Wind.
Er treibt … Regenwolke heran.
Da fällt schon … Regentropfen.
… schöne Sommertag ist zu Ende.

1 Lies den Text.
Welche Wörter hast du ergänzt?

2 Schreibe den Text ab. Unterstreiche
die Wörter, die du eingesetzt hast.
Vergleicht eure Lösungen.

3 Drei Nomen (Namenwörter) im Text sind
aus zwei Wörtern zusammengesetzt.
Wie heißen sie?

Nomen (Namenwörter)
haben **Artikel (Begleiter)**.
Unbestimmte Artikel (Begleiter):
ein, eine.
Bestimmte Artikel (Begleiter):
der, die, das.

4 In den Wolken stehen Nomen (Namenwörter).
Schreibe sie mit dem bestimmten Artikel (Begleiter) auf: *das Eis, …*

5 Du kannst immer die Nomen (Namenwörter)
aus zwei Wolken zusammensetzen.
Schreibe so auf: *der Nebel, die Wand – die Nebelwand*

29

aus verwürfelten Wörtern Aussagesätze bilden;
Aussagesatz und Satzzeichen Punkt;
Wörter mit ie

Es weht und wirbelt

die Bäume
der Sturm
biegt

die Kälte
der Wind
bringt

die Wäsche
auf der Leine
trocknet

in die Höhe
steigt
der Drachen

durch die Luft
die Blätter
wirbeln

1 Ordne die Wörter auf jedem Blatt zu einem Satz.
Es gibt verschiedene Möglichkeiten.

> Am Ende eines Satzes steht
> ein **Satzschlusszeichen**.
> Am Satzanfang schreibt man groß.
> Ein Satz, den man ganz normal
> ausspricht, heißt **Aussagesatz**.
> Nach **Aussagesätzen** steht ein **Punkt**:
> **Der Wind bläst die Wolken weg**.

2 ✎ Schreibe deine Sätze auf.
Setze den Punkt am Satzende mit deiner Lieblingsfarbe.
Der Sturm biegt die Bäume.

Ein kalter Tag
draußen ist es ziemlich kalt die
Sonne spiegelt sich in einer Pfütze
auf der Wiese liegen viele bunte Blätter
ich ziehe meine Stiefel an Bruno wartet
schon auf mich wir spielen vor dem Haus

3 ✎ Der Text besteht aus sechs Sätzen.
Schreibe die Sätze ab. Setze dabei am Satzende einen Punkt.
Denke daran: Das erste Wort im Satz wird immer großgeschrieben.

4 ✎ Schreibe aus dem Text alle Wörter mit **ie** heraus.
Wörter mit ie
ziemlich, …

Nomen in einem Sachtext ergänzen;
Fragen zum Text stellen und beantworten;
zum Sprachspiel bewegen

Wind ist bewegte Luft

Die ist eingepackt in eine Lufthülle.

Diese Lufthülle wird von der erwärmt.

Dadurch bewegt sich die .

Manchmal ist es nur ein leichter .

Aber es kann auch ein heftiger sein.

 können viele Namen haben.

> Habe ich alles richtig verstanden?

Erde　Sonne　Winde　Hauch　Sturm　Luft

1 Lies den Text und setze dabei die fehlenden Nomen (Namenwörter) ein.

2 Schreibe den Text vollständig auf.
Unterstreiche die Nomen (Namenwörter) mit Blau.

3 Beantworte die Fragen in den Sprechblasen.
Findest du selbst noch Fragen?

> Wer erwärmt die Lufthülle?

> Worin ist die Erde eingepackt?

> Wodurch wird die Luft bewegt?

4 Welche Namen für Winde gibt es?

Spiel mit dem Wind

Im Wind ssssSSSSssss sagen
ssschschschschschschschschsch sich die Bäume
guuuuuten Taaaaaaaag
boooooooon jouououour
singen säuseln sausen brausen wehen stürmen sagen flüstern

bon jour – good morning – buenos dias – kalimera – bom dia – dobar dan –
merhaba – buon giorno – Grüß Gott – Guten Tag

der Wetterkarte Informationen entnehmen;
Sätze zur Wetterkarte schreiben; dem Wetter angemessene
Kleidung benennen; mit Nomen umgehen

Bei jedem Wetter richtig angezogen

1 Ihr könnt die Wetterkarte wie einen
Text lesen. Was erfahrt ihr?

2 Stellt euch Fragen zur Wetterkarte.

3 Schreibe für neun Städte auf,
wie das Wetter dort ist.
In München scheint die Sonne. ...
Benutze dabei auch diese Wörter:

Sonnenschein · *Gewitter* · *wolkenlos*

Wolken · *bewölkt* · *sonnig* · *Regen*

4 Auf dieser Wetterkarte fehlen ein paar wichtige Angaben. Welche sind das?

5 Für jedes Wetter gibt es passende Kleidung. Ordne die Kleidungsstücke.
Schreibe die Nomen (Namenwörter) mit dem bestimmten Artikel (Begleiter) auf.

Kleidung   *Kleidung*   *Kleidung*
für Sommerwetter   *für Regenwetter*   *für Schneewetter*
das T-Shirt,   *...*   *...*

...

6 Schreibe auf, welches deine Lieblingskleidung
bei warmem und kaltem Wetter ist.
Wenn es warm ist, ...
Wenn es kalt ist, ...

zur Bildgeschichte erzählen;
den Kern der Geschichte finden und malen;
das Ende der Geschichte malen und dazu schreiben

Regenwetter

1 Erzählt zu der Bildgeschichte.

2 ✎ Male, was zwischen dem zweiten und dritten Bild geschehen ist.
Schreibe einen Text dazu.

3 ✎ Als Anna am Mittag nach Hause kommt, wartet ihre Mutter schon an der
offenen Wohnungstür.
Wie geht die Geschichte weiter?
Male das Ende. Schreibe dazu.

4 Erzähle die Geschichte
vom Anfang bis zum
Ende.
Die anderen Kinder
sollen gut zuhören.

So geht's!

Zu einer Bildgeschichte schreiben

1. Ich schaue mir jedes Bild genau an.
   Was passiert dort?
2. Ich überlege, wie die Bilder zusammengehören.
3. Was geschieht zwischen den Bildern?
4. Ich erzähle die Geschichte mit meinen Worten.

Pops Lese- und Lollis Rechtschreibforschertipps anwenden;
den Übungstext abschreiben; die Übungswörter trainieren;
Partnerdiktat schreiben

der Wind

der Vogel

das Papier

die Schere

die Luft

der Baum

sie will

basteln

brauchen

fliegen

kommen

fallen

schön

dann

Spiel mit dem Wind

Nele will einen schönen Vogel basteln.

Dazu braucht sie Papier und eine Schere.

Nun kann der Vogel durch die Luft fliegen.

Da kommt Wind auf. Der Vogel fliegt und fliegt

und fällt dann in einen Baum.

1  Erforsche den Text.

2 Das sind meine Fragen zum Text:

Was bastelt Nele?

Was braucht Nele zum Basteln?

Warum fällt der Vogel in einen Baum?

Findest du noch andere Fragen zum Text?

3 Erforsche die Wörter.

4 Schreibe den Text ab.

5  Markiere die Stolperstellen. Unterstreiche die Übungswörter.

 So geht's!

Ein Partnerdiktat schreiben

1. Diktiere deiner Partnerin oder deinem Partner langsam und deutlich ein Wort oder einen Satz.
2. Stelle dich so, dass du sehen kannst, was der andere schreibt.
3. Siehst du einen Fehler, dann sage: STOPP!
4. Sprecht über den Fehler, was wisst ihr von dem Wort?
5. Diktiere das Wort noch einmal.
6. Überprüft gemeinsam. Dann wechselt die Rollen.

Nomen mit Artikel; Silben zusammensetzen
und Silbenbögen zeichnen; Wörter mit ie; Sätze ordnen;
Satzzeichen Punkt; Arbeit mit der Wörterliste

1 ✎ Schreibe alle Nomen (Namenwörter) aus dem Text.
Ordne sie nach ihrem Artikel (Begleiter).

der	die	das
Wind	...	...

2 ✎ Wie heißen die Wörter?
Setze die Silben zusammen.
Zeichne Silbenbögen unter die Wörter.

der Vogel, ...

gel Vo

len fal

men kom

chen brau

pier Pa

teln bas

gen flie

re Sche

3 ✎ Bilde Wörter mit ⟨ieg⟩ und schreibe sie auf. Markiere ⟨ieg⟩.

Wörter mit ⟨ieg⟩
Wiege, ...

W	S	L	Fl	Sp		e	el
l	sp	w	s	fl	⟨ieg⟩	en	eln

4 ✎ Hier sind Sätze durcheinandergeraten.
Schreibe sie richtig auf.

Nele bastelt ...

Denke daran,
am Satzende steht
ein Punkt.

aus Papier   einen Vogel   bastelt   Nele

eine Schere   Sie   braucht

fliegt   durch die Luft   Der Vogel

in den Baum   fällt   Er

5 ✎ 📖 Suche in der Wörterliste zum Buchstaben **W/w** alle Nomen (Namenwörter),
die mit dem **Wetter** zu tun haben.
Schreibe sie mit ihrem Artikel (Begleiter) auf.

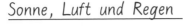
Sonne, Luft und Regen

Lennart: Welche Seite ist deine Lieblingsseite?

Alev: Die Seite über das Wetter mag ich gerne.
Da ist so ein lustiges Bild drauf.

Lennart: Welche Aufgabe war schwer für dich?

Alev: Den Text über den Wind fand ich schwer.

Lennart: Was willst du dir besonders merken?

Alev: Ich will mir besonders merken, dass man
am Satzanfang immer großschreibt.

1 Stellt euch gegenseitig Fragen zum Kapitel,
wie Lennart und Alev es gemacht haben.

Woran musst du
am Satzanfang denken?
Was steht am
Satzende?

meine Schwester hat neue Sandalen

sie will damit zur Schule gehen

aber leider ist Regenwetter

der Regen prasselt gegen die Fenster

auf den Straßen sammelt sich das Wasser in großen Pfützen

sie zieht doch lieber ihre Gummistiefel an

2 Schreibe den Text so ab, dass du bei jedem Satz
den Anfang und das Ende erkennen kannst.

3 In dem Kapitel hast du viele Wetterwörter kennen gelernt.
Welche hast du dir gemerkt?

4 Suche dir ein Bild aus und schreibe dazu einen Text.

So geht's!

Eine Schreibidee entwickeln
Bevor du anfängst zu schreiben,
stell dir **deine Gedanken** genau vor,
als hättest du ein **Kino im Kopf**.
Dafür darfst du dir **Zeit nehmen**.

Wie die Zeit vergeht

Guten Morgen!

Schon ausgeschlafen?

Was haltet ihr von diesem Bild?

Hier ist ein ganz verrückter Traum gemalt.

Habt ihr einen klaren Kopf und

findet die seltsamen Dinge?

das Gedicht ordnen, abschreiben und gestalten;
Satzgrenzen erkennen; den Text abschreiben;
Großschreibung am Satzanfang und Satzschlusszeichen beachten

Die Sonne teilt den Tag

Am Morgen steht die Sonne ...

Zur Mittagszeit, wirst du gleich sehn,
da wird sie hoch am Himmel stehn.

Am Morgen steht
die Sonne tief,
weil sie bis grade
ja noch schlief.

Abends kommt sie
schließlich dann
am Himmel unten
wieder an.

Nachts siehst du die Sonne nicht,
drum schlafe, bis der Tag anbricht!

KNISTER/Paul Maar

1 Das Gedicht hat vier Strophen.
Die Strophen haben eine ganz bestimmte Reihenfolge.
Lest sie euch gegenseitig in der richtigen Reihenfolge vor.

2 Am Stand der Sonne kann man die Tageszeit ablesen. Wie geht das?

3 Nimm ein großes Blatt Papier. Schreibe mit Farbstiften das Gedicht ab.
Male eine große Sonne um dein Gedicht.

> die Nacht ist vorbei die Sonne scheint in das Zimmer
> ich ziehe mich an dann esse ich in der Küche ein Brötchen
> dazu trinke ich ein Glas Milch danach gehe ich in die Schule

4 Lies den Text laut. Finde dabei heraus, wo ein Satz anfängt und wo er aufhört.

5 Schreibe den Text ab.
Überlege, woran du denken musst.

Wozu sind Punkte wichtig?

6 Schreibe einen Text über deinen Morgen.
Mein Morgen

mit dem Text umgehen; Nomen im Text finden;
Mehrzahl bilden; Veränderungen markieren;
Begriffe Einzahl und Mehrzahl sowie Umlaute kennen lernen

Pünktlich oder nicht pünktlich?

Diese Geschichte geschah an einem Wintertag.
Emilia und Linus spielten mit ihren Freunden
auf dem Spielplatz. Ihre Mutter hatte gesagt:
„Wenn die Sonne untergeht, kommt ihr nach Hause!"
Die Kinder hielten Wort.
Pünktlich fuhren sie mit ihren Fahrrädern los.
Aber an der Haustür schimpfte ihre Mutter trotzdem:
„Warum kommt ihr zu spät?"
Das fanden Emilia und Linus ungerecht.

1 Warum glaubt jeder, Recht zu haben?

2 Schreibe einen Satz, mit dem der Streit geschlichtet werden kann.
Wir haben alle Recht, weil …

3 Schreibe alle Nomen (Namenwörter) auf, die in dem Text stehen.
Schreibe einen passenden Artikel (Begleiter) dazu.

4 Drei Nomen (Namenwörter) meinen mehrere Personen oder Dinge.
Unterstreiche sie.

5 Schreibe die Nomen (Namenwörter) in der Einzahl und Mehrzahl auf.
Unterstreiche, was sich in der Mehrzahl verändert.
der Baum – die Bäume, das Jahr – die Jahre, …

das Bett	der Baum	der Junge	das Blatt	der Tag	der Apfel
das Jahr	der Freund	der Fluss	der Vogel	das Buch	die Tür

Nomen (Namenwörter) gibt es in der **Einzahl** und in der **Mehrzahl**.
Der **Artikel (Begleiter)** in der Mehrzahl heißt immer **die**.
Viele **Nomen (Namenwörter)** verändern sich in der Mehrzahl:
das Blatt – **die** Blätter, **der** Vogel – **die** Vögel,
das Buch – **die** Bücher, **der** Baum – **die** Bäume.
Ä, **ö**, **ü**, **äu** nennt man **Umlaute**.

einen Sachtext besprechen;
Bildern Begriffe richtig zuordnen;
Verben in Sinnzusammenhängen verwenden

Zeit messen und erleben

Mit der Sonne die Zeit messen

Mit der Sonne kann man die Zeit messen.
Das wussten schon vor vielen tausend
Jahren die Chinesen, die Ägypter und
die Inka.

Man muss bei Sonnenschein einen Stab
in den Boden stecken. Der Stab wirft
einen Schatten. Der Schatten wandert,
wenn sich der Sonnenstand verändert.
Rund um den Stab sind Striche gezeichnet.
An ihnen kann man die Zeit ablesen.

Sonnenuhren haben die Griechen erfunden. Kai

Der Schatten ist der Uhrzeiger. Zoe

Schon viele tausend Jahre gibt es Sonnenuhren. Paul

Eine Sonnenuhr zeigt immer die Uhrzeit an. Ina

1 Lies den Text ganz genau. Finde heraus, wer etwas Falsches sagt.

2 Welcher Name gehört zu welcher Uhr? Schreibe die Namen auf.
1 die Stoppuhr, 2 …

Kirchturmuhr
Kuckucksuhr
Taschenuhr
Stoppuhr
Armbanduhr
Wecker
Digitaluhr

3 Schreibe auf, was Uhren können.
<u>Was Uhren können</u>
klingeln, …

Oder:

Schreibe Sätze mit den Uhren
von oben:
*Mein Wecker kräht jeden Morgen
um sieben Uhr.*

klingeln   nachgehen   messen
fühlen   ticken   lärmen
antreiben   vorgehen   sprechen
tropfen   wecken   malen   laufen
schlafen   krähen   schlagen

zu einem Foto schreiben; Schreibpausen machen;
eigene Erlebnisse besprechen, die das subjektive Zeitempfinden ausdrücken;
Redensarten zur Zeit kennen lernen

1 Schreibe auf, was du zu diesem Foto denkst.

2 Tauscht eure Gedanken zu dem Foto aus.

3 Das hast du sicher auch schon erlebt.
Du denkst: „Wann ist das endlich zu Ende?"
Oder:
Du denkst: „Oh, warum ist das schon zu Ende?"

Schreibpausen

* Mache beim Schreiben ab und zu kleine Pausen.
* Lies dir deine Sätze halblaut vor.
* Überlege: Wolltest du es so ausdrücken? Passt alles zusammen?

Redensarten

4 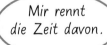 Erkläre, was mit diesen Redensarten gesagt werden soll.
Drei Redensarten kannst du einem Bild zuordnen.
Zur vierten Redensart male selbst ein Bild.

Die Zeit spare ich mir.

Ich gehe mit der Zeit.

Mir rennt die Zeit davon.

Am liebsten möchte ich die Zeit anhalten.

5 Es gibt viele Redensarten über die Zeit. Frage Erwachsene.

Namen der Wochentage in der Reihenfolge
und ihrer Bedeutung kennen lernen; Sätze ordnen;
einen Wochenplan schreiben

Sieben Tage – zwölf Monate

Tag des Mondes

Tag des Gottes Tiu

Tag in der Mitte der Woche

Tag des Gottes Donar

Tag der Göttin Freya

Tag des Sabbats

Tag der Sonne

1 Woher haben die Wochentage ihre Namen?
Der Mittwoch ist der Tag in der Mitte der Woche.

Donnerstag   Montag   Samstag

Mittwoch   Sonntag   Freitag   Dienstag

2 Ergänze die Sätze. Schreibe sie in der richtigen
Reihenfolge auf. Beginne mit dem Montag.

Der Schluss der Woche ist der …

Der Tag in der Mitte der Woche heißt …

Der zweite Tag heißt …

Der Tag vor dem Wochenende ist der …

Die Woche beginnt am …

Danach kommt der …

Der sechste Tag der Woche heißt …

3 Finde heraus, wie die Wochentage in anderen
Sprachen heißen.

4 Schreibe auf, was du in dieser Woche
an den Nachmittagen planst.
Schreibe deine Planung in der Reihenfolge
der Wochentage auf.

Mein Wochenplan
Am Montag gehe ich zu
Toms Geburtstag.
Am Dienstag …

Mein Wochenplan	
Montag	Bibliothek
Dienstag	…

die Monate und deren Folge kennen lernen;
Monatsbilder gestalten; Sätze zu den Monaten schreiben;
eine Wörtersammlung anlegen und eine Monatsgeschichte schreiben

In jedem Monat gibt es etwas Besonderes

1 Erzählt, was das Besondere in jedem Monat ist.

2 Für die Monate **August**, **Oktober** und **Dezember** siehst
du auf dem Faltkalender keine Bilder.
Male, was auf diesen Monatsbildern sein könnte.
Die Wortkarten geben dir ein paar Tipps.

Blätter	Sonne	Tannenbaum	Baum
Kerzen	warm	blasen	schwimmen
Geschenke	bunt	leuchten	
Wasser	neugierig	Wind	draußen

3 Schreibe zu jedem Monat einen Satz.
Januar: Wir bauen einen großen Schneemann.
Februar: ...

4 Anna hat Wörter für eine Monatsgeschichte
gesammelt.
Über welchen Monat will sie schreiben?

5 Lege eine Wörtersammlung zu deinem Lieblings-
monat an.
Schreibe mit deinen Wörtern eine Monatsgeschichte.
Oder:
Schreibe mit Annas Wörtersammlung
eine Monatsgeschichte.

> *Meine*
> *Wörtersammlung*
> heiß, verreisen,
> Auto, Zelt,
> Boot, See,
> schwitzen, Ferien,
> Sonnenbrand,
> ganze Familie
> Anna

43

Pops Lese- und Lollis Rechtschreibforschertipps anwenden;
den Übungstext abschreiben; die Übungswörter trainieren;
Wörter nach dem ABC ordnen; Einzahl – Mehrzahl; Reimwörter

Das Jahr

Das Jahr hat zwölf Monate. Im fünften Monat
hat Lukas Geburtstag. Er will diesen Tag mit
seinen Freunden feiern. Darauf freut er sich
schon viele Wochen lang. Aber die Zeit geht
viel zu langsam vorbei. Geht es dir auch so?

das	Jahr
der	Monat
der	Geburtstag
der	Tag
der	Freund
die	Woche
die	Zeit
	haben
er	hat
	feiern
sich	freuen
	gehen
	lang
	viele
	vorbei

1 Erforsche den Text.

2 Stelle Fragen zum Text.

3 Erforsche die Wörter.

4 Schreibe den Text ab.

5 Markiere die Stolperstellen.
Unterstreiche die Übungswörter.

6 Ordne die Übungswörter nach dem ABC.
feiern, ...

*Wenn zwei Wörter
mit dem gleichen Buchstaben
anfangen, musst du auf die
nächsten Buchstaben
gucken.*

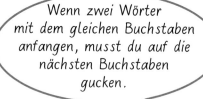

7 Ordne die Nomen (Namenwörter)
nach Einzahl und Mehrzahl.
Schreibe immer die fehlende Form dazu.

Einzahl	Mehrzahl
der Tag	die Tage
...	...

die Wörter   *die Tage*   *die Nächte*

die Plätze   *das Rad*   *die Brüder*   *der Vater*   *das Jahr*   *die Uhr*

8 Schreibe die Reimwörter auf.

gehen	lang	Zeit	Kind	viel
st	G	w	W	Sp
s	H	br	s	Z

44

Großschreibung am Satzanfang und von Nomen;
Partnerdiktat; Sätze bilden;
Selbstlaute in einem Text einsetzen

1 Schreibe die Sätze von den Satzstreifen richtig auf.

Das Jahr ...

DAS JAHR HAT ZWÖLF MONATE.

LUKAS HAT IM MAI GEBURTSTAG.

ER WILL MIT SEINEN FREUNDEN FEIERN.

LUKAS FREUT SICH AUF SEINEN GEBURTSTAG.

> Satzanfänge und Nomen (Namenwörter) schreibt man groß.

2 Sucht euch einen Partner. Übt die Sätze aus Aufgabe 1 im Partnerdiktat.

3 Wer geht wohin? Bilde mit dem Satzschieber Sätze.

Ich gehe zu einem Freund.

		zum Geburtstag.
Ich	gehe	zu einem Freund.
Du	gehst	zum Fußball.
Lukas	geht	in den Zoo.
Wir	gehen	zum Bäcker.
Die Kinder		ins Schwimmbad.
…		…

4 In diesem Text fehlen alle Selbstlaute. Schreibe den Text richtig auf.

Lukas freut sich ...

L⬤k⬤s fr▦▦t s▦ch sch⬤n.
B⬤ld k⬤mmt d▦r M⬤n⬤t M⬤▦.
D⬤nn h⬤t L⬤k⬤s G▦b⬤rtst⬤g.
V▦▦l▦ K▦nd▦r w⬤ll▦n m▦t ▦hm f▦▦▦rn.
P⬤p⬤ h⬤t s▦ch ▦n Sp▦▦l ⬤⬤sg▦d⬤cht.

5 Schreibe mit jedem Übungswort einen Satz.

Oder:

Denke dir mit den Übungswörtern einen kleinen Text aus.

Unterstreiche die Übungswörter in deiner Lieblingsfarbe.

Das fällt mir zu den Monaten und Jahreszeiten ein:

Der Monat … ist für mich der schönste Monat, weil …

Der Monat vor meinem Lieblingsmonat heißt …

und der Monat danach …

Das mache ich gerne im Herbst …

Darauf freue ich mich im Sommer …

1 Schreibe von dir.

Du kannst auch zu anderen Jahreszeiten etwas aufschreiben.

Male ein Bild zu deinem Text.

2 Aus welchen Wörtern sind die Nomen (Namenwörter) zusammengesetzt?

Schreibe sie mit dem Artikel (Begleiter) auf.

die Jahreszeit – das Jahr, die Zeit …

die Monatsgeschichte

die Jahreszeit   *die Sonnenuhr*   *der Wochentag*   *die Sommerferien*

3 Schlage die Nomen (Namenwörter) in der Wörterliste nach.

Schreibe sie in der Einzahl und Mehrzahl auf.

Schreibe die Seite der Wörterliste dazu.

Einzahl	Mehrzahl	Seite
das Blatt	die Blätter	…

der Wald   *der Kopf*

das Haus   *die Luft*   *das Blatt*

4 Das weiß ich jetzt: Ä, ö, ü und äu nennt man …

Was weißt du schon von den Wörtern?

5 Welche Stolperstellen musst du dir
bei den Wörtern merken?

die B◯me   das W◯er   die ◯asche   sp◯len

die Taf◯   gel◯   der ◯ogel   fl◯gen

Von Haustieren und anderen Tieren

Ich bin klein und niedlich,
habe Schnurrhaare und einen Schwanz.
Ich laufe ganz flink.
Ich kann 4 bis 12 Junge bekommen und
werde 2 bis 3 Jahre alt.
Wer bin ich?

ein Plakat zu den Lieblingstieren gestalten;
über die Lieblingstiere sprechen;
Texte zum Thema Haustiere schreiben

Kinder haben Tiere sehr gern

Hamster				
Hund			
Katze				
Ratte		
Pony			
Kaninchen				
Wellensittich			
Goldfisch			
Frosch		
Schildkröte			
Meerschweinchen			

1 Bringt Bilder und Fotos von euren Lieblingstieren mit.
Klebt sie auf ein Plakat.

2 Legt eine Liste mit den Lieblingstieren in eurer Klasse an.

3 Schreibe von dir.

4 Klebt eure Texte auf das Plakat
mit euren Lieblingstieren.

5 Lest euch die Texte gegenseitig vor.
Was erfahrt ihr aus den Texten?

48

ein Gespräch mit verteilten Rollen lesen;
Fragewörter verwenden; Begriffe Frage und Fragezeichen;
Informationen über Tiere in Medien sammeln; ein Gespräch führen

Paul möchte einen Hamster kaufen

Paul: Guten Tag, ich möchte gerne einen Hamster kaufen.

Tierhändler: Soll es ein Männchen oder ein Weibchen sein?

Paul: Ich hätte gerne ein Männchen.

Tierhändler: Hier sind unsere Hamster.

Paul: Was fressen die denn?

Tierhändler: …

1 Lest das Gespräch mit verteilten Rollen.

2 Welche Fragen würdest du dem Händler stellen? Schreibe sie auf.

Wo schlafen Hamster?

Wer …?   Wie …?   Wo …?   Was …?

Wann …?   Warum …?   …

> Wenn wir etwas wissen wollen, fragen wir.
> Nach **Fragen** steht ein **Fragezeichen**:
> **Was fressen Hamster**?
> **Wo schlafen Hamster**?

3 Sucht Antworten auf eure Fragen.
Informationen findet ihr in Tierbüchern über Hamster,
im Tierlexikon oder im Internet.
Oder:
Überlegt euch Fragen zu eurem Lieblingstier.
Sucht die Antworten auf eure Fragen.
Informationen findet ihr in Tierbüchern, im Tierlexikon oder im Internet.

4 Spielt das Gespräch nach.
Benutzt dazu auch eure Fragen und Antworten.
Oder:
Spielt ein Gespräch über euer Lieblingstier.
Benutzt dazu eure Fragen und Antworten.

5 Wann schlafen Hamster?
Sind Hamster als Haustiere geeignet?

einen Sachtext lesen;
Informationen entnehmen;
Fragen zum Text beantworten

Kaninchen als Wild- und Haustiere

1 Lies zuerst die Überschrift und sieh dir die Bilder an.
Was wirst du im Text erfahren?

So leben Wildkaninchen

Alle Kaninchen stammen vom Wild-
kaninchen ab. Sie leben gern in großen
Gruppen am Waldrand, auf Wiesen und an
Bahndämmen. Dort finden sie Gras und
andere Grünpflanzen. Mit den spitzen
Krallen ihrer Vorderpfoten graben sie lange
Gänge unter der Erde.

Vier- bis fünfmal im Jahr kann ein
Weibchen Junge bekommen, oft mehr als
sechs. In einem Ende eines Gangs baut es
dann ein Nest aus Heu. Es reißt sich selbst
Haare aus und polstert das Nest ganz
weich. Die Jungen werden nackt geboren.
Zehn Tage bleiben sie blind.
Sie werden von der Mutter gesäugt.

2 Findet die Informationen über das Wildkaninchen heraus.
* Wie oft im Jahr wird Nachwuchs geboren?
* Wie viele Jungen werden bei einem Wurf geboren?
* Werden die Jungen blind geboren oder nicht?
* Welche Nahrung bekommen sie in den ersten Lebenswochen?
Berichtet den anderen in der Klasse, was ihr herausgefunden habt.

3 Beantworte jede Frage aus Aufgabe 2 mit einem Satz.
Wildkaninchen
Das Kaninchen kann vier- bis fünfmal im Jahr Junge bekommen.
Oder:
Schreibe einen Text zu den Bildern.

4 Sind Kaninchen und Hasen miteinander verwandt?

Merkmale einer Suchanzeige überlegen und in einen Text umsetzen;
einen Witz lesen, verstehen und erzählen;
Verkleinerungsformen; Umlautbildung

Hanna hat ein Kaninchen geschenkt bekommen.
Aber schon am zweiten Tag hoppelt es aus dem Garten davon.
Hanna klebt Zettel an Bäume in ihrer Straße.

Wo ist Susi?
Meine kleine Susi ist weg. Sie ist ganz
lieb und weich, aber noch ein bisschen
scheu. Wer sie findet und mir bringt,
bekommt eine Belohnung von Mama.

Ich heiße Hanna und wohne im Forstweg.

1 Wird Hanna mit ihrer Suchanzeige Erfolg haben?
Was würdet ihr genauso schreiben? Was würdet ihr anders schreiben?

2 Schreibe eine Suchanzeige für Hannas Kaninchen.
Oder:
Schreibe eine Suchanzeige für dein Haustier.

Ole und die kleinen Tiere

Lehrer:	Ole, nenne mir Tiere.
Ole:	Mäuschen, Vögelchen, Läuschen, …
Lehrer:	Die Tiere sollen nicht alle klein sein. Lass das chen weg.
Ole:	Hündchen, Kätzchen, Häschen, …
Lehrer:	Du sollst das chen weglassen!
Ole:	Kanin, Meerschwein, …

3 Lies den Witz so oft, bis du ihn erzählen kannst.

4 Schreibe mit den Namen der kleinen Tiere Wortpaare auf.
Unterstreiche die Umlaute.
das Mäuschen – die Maus, …

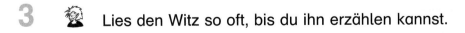

51

die Texte den Bildern zuordnen; mit Verben umgehen; die Wortart
Verb (Tunwort) kennen lernen; Verben in einen Lückentext einsetzen;
von Erfahrungen mit Katzen erzählen

Mit Katzen kann man viel erleben

 1    2    3    4

Die Katze **sitzt** vor ihrem Napf in der Küche. Sie **wartet** auf das Futter.

Hier **spielt** sie mit der Wolle.

Auf diesem Bild **jagt** sie eine kleine Maus.

Wenn Katzen anderen Katzen **drohen**, **machen** sie einen Buckel und **fauchen**.

1   Was tut die Katze auf den Bildern?
Ordnet die Texte den Bildern zu.

2   Was können Katzen?
Was können Katzen nicht?
Schreibe auf.
Katzen können springen, …
Katzen können nicht …

> fressen   jagen   bellen   spielen
> sich anschleichen   fauchen   kratzen
> rennen   springen   schlafen   sich putzen
> miauen   wiehern   sehen   schnurren

> Wörter, die sagen, was jemand tut, nennt man **Verben (Tunwörter)**:
> **rennen**, **fressen**, **schlafen**.

3   Setze die passenden Wörter aus den Texten ein.
Schreibe die Sätze auf.
Unterstreiche die Verben (Tunwörter) rot.

Die Verben (Tunwörter) verändern sich im Satz.

> Die Katze … eine Maus.
> Die Katze … mit der Wolle.
> Die Katze … in der Küche.
> Sie … auf das Futter.
> Die Katze … einer anderen Katze.
> Sie … einen Buckel und …

4    Was weißt du über Katzen? Erzähle.

zu Bildern erzählen und schreiben;
einen Schluss zur Bildgeschichte malen und dazu schreiben;
eine gute Überschrift finden; in der Bücherei ein Buch ausleihen

Als Lukas 6 Jahre alt wird, bekommt er von seinen Eltern
ein besonderes Geschenk zum Geburtstag.

1 Erzählt zu den Bildern.

2 Schreibe auf, was Lukas auf den Bildern denkt, fühlt oder sagt.

Bild 1:

> Heute ist endlich mein Geburtstag.

?   ?

3 Male einen passenden Schluss.
Schreibe einen Text dazu.

4 Denke dir eine gute Überschrift aus.

5 Schreibe eine Geschichte zu den Bildern.

6 Wenn du wissen willst, was Lukas mit seinem Kater noch erlebt,
kannst du dir das Buch in der Bücherei ausleihen.

So geht's!

Eine gute Überschrift
Sie soll
* neugierig machen,
* nicht zu viel verraten,
* spannend oder lustig sein,
* in die Geschichte einstimmen.

Pops Lese- und Lollis Rechtschreibforschertipps anwenden;
den Übungstext abschreiben; die Übungswörter trainieren;
Dosendiktat schreiben

Eine kleine Katze

Lukas erzählt seinem Lehrer:

Ich wünsche mir eine kleine Katze. Dann kann ich
jeden Tag im Haus und auf der Wiese mit ihr spielen.
Mein Vater möchte mir eine Katze kaufen. Ich muss
ihr jeden Tag Futter und frisches Wasser geben.

die Katze
der Lehrer
das Haus
die Wiese
der Vater
das Futter
das Wasser
   erzählen
   wünschen
er möchte
   kaufen
   müssen
ich muss
   ihr

1 Erforsche den Text. Stelle Fragen zum Text.

2 Erforsche die Wörter.

3 Schreibe den Text ab.

4 Markiere die Stolperstellen. Unterstreiche die Übungswörter.

5 Die Lösungswörter der Geheimschrift stehen bei den Übungswörtern.
1 der Lehrer, …

6 Welche Übungswörter haben sich hier versteckt?
erzählen, …

...äh...   .ass..   .auf..   .utt..   .aus   .üss..   .atz.

So geht's!

Ein Dosendiktat schreiben

1. Schreibe die Sätze auf Streifen und nummeriere sie.
2. Lege die Zettel in der richtigen Reihenfolge vor dich.
3. Lies den Satz und präge ihn dir genau ein.
   Achte auf die schwierigen Stellen.
4. Stecke den Zettel in die Dose.
5. Schreibe den Satz auf.
6. Nimm den nächsten Zettel.
7. Wenn du fertig bist, kontrolliere Wort für Wort.

zusammengesetzte Nomen bilden;
Wortgrenzen erkennen; Wörter mit tz;
Sätze bilden; Verben im Lückentext ergänzen

1 ✎ Bilde zusammengesetzte Nomen (Namenwörter) mit **Katzen**.
Kennst du alle Wörter?

das Katzenfutter, ... Freund Buckel 🐈 Sprung Zunge Auge 👁

Katzen Futter Klo 🗑Gras Wäsche Musik

2 ✎ Die Wörterschlange hat viele Wörter mit ⒶⓉⓏ verspeist.
Schreibe die Wörter ab.

die Katze, ...

KatzeSpatzSatzSchatzPlatzkratzenTatzeFratzeplatzenschwatzen

3 ✎ Wer wünscht sich was?

Ich wünsche mir ein Kaninchen.

Wer	wünscht sich	was?
Ich	wünsche mir	🐱eine Katze. 🐰ein Kaninchen.
Du	wünschst dir	
Lukas	wünscht sich	🦜einen Wellensittich. 🐹einen Hamster.
Wir	wünschen uns	🐶einen kleinen Hund. 🦜einen Papagei.

4 ✎ Welche Verben (Tunwörter) passen in die Sätze?
Schreibe den vollständigen Text ab.

Max kauft Futter ...

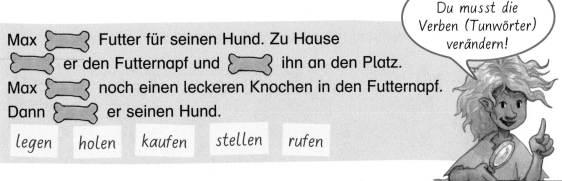

Max 🦴 Futter für seinen Hund. Zu Hause
🦴 er den Futternapf und 🦴 ihn an den Platz.
Max 🦴 noch einen leckeren Knochen in den Futternapf.
Dann 🦴 er seinen Hund.

legen *holen* *kaufen* *stellen* *rufen*

Achtung:
Du musst die
Verben (Tunwörter)
verändern!

5 ✎ Unterstreiche die Verben (Tunwörter) rot und
kreise immer den letzten Buchstaben ein.

Emrah, guck mal, das ist meine Verben-Sammlung über den Hund.

Verben (Tunwörter), die zum Hund passen

bellen knurren jagen durstig

stark rennen trinken

beißen jaulen

fressen

Das sind aber nicht alles Verben.

1 Was weißt du schon über Verben (Tunwörter)?
Schreibe die Verben-Sammlung über den Hund richtig ab.

Was tun die Tiere?

2 Schreibe zu jedem Bild einen Satz mit einem passenden Verb (Tunwort).
Es bleiben Verben (Tunwörter) übrig. Welche Tiere passen zu diesen Wörtern?

rennen   tragen   fressen   schlafen   schwimmen   fliegen   spielen

3 Das ist ein wichtiges Zeichen:
Weißt du, was es bedeutet?
Das ist ein ... . Ich setze es hinter eine ... . Das ist eine ...: Was ...

4 In dem Kapitel sind mir diese Tiere besonders aufgefallen:

Male dein Lieblingstier. Schreibe auf, was du darüber weißt.

Woher und wohin?

Hallo, ich bin Tim!
Heute möchte ich mein Lieblingstier im Zoo besuchen.
Vom Eingang gehe ich ein Stück geradeaus,
an der zweiten Abzweigung links und etwas geradeaus,
an der nächsten Weggabelung links,
dann bald wieder rechts und geradeaus über die kleine Brücke.
Weißt du, welches Tier mein Lieblingstier ist?

Wege mit Richtungsangaben und mit Hilfe von Umgebungs-
merkmalen beschreiben; auf die Verkehrssicherheit achten;
vom eigenen Schulweg erzählen

Jeder Schulweg ist anders

1 In diesem Viertel wohnen Tim und Lena.
Da gibt es viel zu entdecken.

2 Tim und Lena kommen aus der Schule.
Wo sind die beiden Kinder?

3 Wie kann Lena von der Schule nach Hause laufen?
Findet einen möglichst sicheren Schulweg.
Oder:
Die Lehrerin möchte mit den Kindern in den Zoo gehen.
Findet einen möglichst sicheren Weg.

4 Erzähle von deinem Schulweg.
Oder:
Frage ein anderes Kind nach seinem Schulweg.

Wo ...?

Wie lange ...?

...?

Mit wem ...?

Texte über den Schulweg schreiben;
in Texten verwendete Zeichen verstehen
und in eigenen Texten gebrauchen

→	nach rechts
←	nach links
↑	geradeaus
⌐→	rechts um die Ecke
←⌐	links um die Ecke
⬆	über die Straße

1 Tim hat seinen Schulweg
aufgeschrieben.
Dabei hat er Zeichen benutzt,
die er sich zusammen mit Lena
ausgedacht hat.
Lies Tims Beschreibung vor.

Von der Schule nach Hause
Ich gehe durch das Schultor auf den
Gehweg. Dort laufe ich ← bis zur
ersten Fußgängerampel. Ich wende
mich →. Bei Grün gehe ich ⬆.
Jetzt muss ich → und dann
↑ bis zur Uhr. Dort biege ich ←⌐.
Noch ein Stück ↑, dann sehe ich
schon unsere Haustür.

2 Schreibe statt der Zeichen Wörter.
Tims Schulweg
Ich gehe …

3 Schreibe Lenas Schulweg auf. Benutze die Zeichen.
Lenas Schulweg
Oder:
Schreibe deinen Schulweg auf. Benutze die Zeichen.
Mein Schulweg

Augen auf im Straßenverkehr

1 Spielt das Gespräch. Probiert mit eurer Stimme aus,
wie die Sätze am besten gesprochen werden.

2 Schreibe das Gespräch in einer sinnvollen Reihenfolge auf.
Schreibe das Zeichen am Satzende mit Buntstift.

	auf das Auto aufpassen!
Du sollst	Anna mitspielen lassen!
Du musst	den Radfahrer vorbeilassen!
Du darfst	gleich nach Hause kommen!
	die Kreide nicht vergessen!
	den Schiedsrichter spielen!

Sätze mit Ausrufezeichen musst du laut und bestimmt sprechen.

3 Schreibe die Aufforderungssätze.
Du sollst Anna mitspielen lassen! ...
Oder:
Schreibe die Aufforderungssätze so:
*Passe ... auf! Lass ...! Lass ... vorbei!
Komm ...! Vergiss ...! Spiele ...!*

Nach **Aufforderungen**, die
besonders beachtet werden
sollen, oder wenn etwas gerufen
wird, steht ein **Ausrufezeichen**:
Komm schnell!
Du darfst nicht zu spät kommen!

60

passenden Geschichtenanfang finden; Geschichte weiterschreiben;
eigene Schulweg-Geschichte schreiben; Geschichten präsentieren;
Wörter mit St/st und Sp/sp

Schulweg-Geschichten

Das _Sportfest_ fängt gleich an.
Felix ist spät losgegangen. Er muss
sich beeilen. Schnell rennt er quer
über die Straße. Dabei ...

Zoe sitzt im _Schulbus_ und wartet
auf Franzi. Der Busfahrer schließt
die Türen. Da kommt Franzi mit
offenen Schuhen
angerannt ...

Neulich hat mich Mama gefragt,
warum der _Nachhauseweg_ von der
Schule immer so lange dauert. Es
ist wirklich merkwürdig.
Und das kommt so ...

1 Welcher Geschichtenanfang passt zu dem Bild?

2 Schreibe deine Geschichte zu dem Bild auf.
Sie soll zu dem Anfang passen.
Schreibe auch, wie die Geschichte endet.
Eine Schulweg-Geschichte

So kann die
Geschichte aufhören:
* Zum Glück hat das
  Auto gestoppt.
* Felix bedankt sich
  bei dem Autofahrer.
* Felix rennt schnell
  weg.

3 Schreibe eine eigene Schulweg-Geschichte.
Deine Geschichte braucht einen **Schluss**
und eine **Überschrift**.
Oder:
Wähle einen der anderen Geschichtenanfänge aus und schreibe
die Geschichte weiter. Du kannst auch dazu malen.

4 Das könnt ihr mit euren Geschichten machen:
Lest eure Geschichten im Sitzkreis vor.
Oder:
Stellt eure Geschichten zu einem Buch zusammen.

5 Sprich die Wörter. Achte auf den Wortanfang. Was fällt dir auf?

Sportfest   _spät_   _Straße_   _Stein_   _stehen_   _sprechen_   _spielen_   _Stunde_

6 Schreibe die Wörter in eine Tabelle. Übermale die Anfangsbuchstaben.

St/st	Sp/sp

Text lesen; unbekannte Wörter erfragen;
Text gezielt lesen;
gegenseitig Fragen zum Text stellen und beantworten

Überall gehen Kinder in die Schule

Oscar

Oscar ist neun Jahre alt.
Er lebt im Bergland in Bolivien.
Das liegt in Südamerika.
Oscars Familie gehört zu den
Aymara-Indianern. Sie sind Bauern.
Oscar hat zwei Brüder:
Efrain und Ruben.
Seine Schwester heißt Lourdes.

Oscar fährt mit dem Fahrrad zur Schule. Dafür braucht er eine Stunde.
Die Wege führen bergauf und bergab. Er lernt Rechnen, Spanisch, die Sprache
der Aymara und Landeskunde. Das spanische Wort für „Schule" lautet **escuela**.
Oscar möchte einmal Fußballspieler werden.

1 Lies den Text genau. Was findest du interessant?
Kannst du dir alles vorstellen?

2 Welches Wort oder welche Wörter kennst du nicht?
Überlege, was es sein könnte.
Du kannst andere Kinder oder Erwachsene fragen oder
in einem Lexikon nachschlagen.

3 Achte auf Wörter im Text, die mit diesen Fragen zu tun haben:

Aus welchem Land kommt Oscar?   *Wie heißen seine Geschwister?*

Finde Antworten auf die Fragen.

4 Stelle selbst Fragen zu dem Text.
Schreibe jede Frage auf ein Kärtchen.
Schreibe die Antwort auf die Rückseite.

5 Verteilt euch im Klassenzimmer.
Stellt möglichst vielen Kindern
in der Klasse eure Fragen.

Informationen aus einem Text entnehmen, Inhalt erzählen;
Wichtiges aufschreiben; das Wort Schule in verschiedenen Sprachen sammeln;
sich über Kinder in anderen Ländern informieren

Bogna

Bogna ist zehn Jahre alt.

Sie lebt auf einem Bauernhof in Polen.

Das ist in Europa.

Bognas Vater betreibt Landwirtschaft
ohne Chemikalien. Bognas Mutter ist
Lehrerin. Bogna hat drei Schwestern:
Zuzanna, Zofia und Joanna.

Bognas Schule ist 5 km vom Bauernhof entfernt.

Die Kinder werden auf einem Traktor mit Anhänger dorthin gefahren.

Auf den holprigen Feldwegen müssen sie langsamer fahren.

Darum brauchen sie etwa 20 Minuten. Den Anhänger nennen sie „Bonanza".

„Schule" heißt auf Polnisch: **skola**. Bogna möchte einmal Lehrerin werden.

1 Erzählt von Bogna, ihrer Familie und ihrem Schulweg.
Die unterstrichenen Stellen im Text können euch dabei helfen.

2 Schreibe auf, was du über Bogna erfahren hast.
Oder:
Schreibe auf, was du über Bogna und Oscar erfahren hast.

Name	Bogna	Oscar
Alter		
Sprache		
Land		
Berufswunsch		

3 Schreibt auf eine Plakatwand
das Wort **Schule** in vielen Sprachen.

4 Findet heraus, wie Kinder in anderen
Ländern zur Schule gehen:
* Was lernen sie?
* Wie lange sind sie jeden Tag in der Schule?
* ...

Pops Lese- und Lollis Rechtschreibforschertipps anwenden;
den Übungstext abschreiben; die Übungswörter trainieren;
Wörter mit St/st und Sp/sp; Wörter mit eh

die Schule
die Straße
der Bus
der Weg
die Stadt
der Platz
die Mutter
die Post
stehen
warten
fahren
dürfen
arbeiten
laufen
weit
quer

Der Schulweg

Nina, Lena und Tim müssen zur Schule. Nina steht an
der Straße und wartet auf den Bus. Ihr Schulweg ist
weit. Der Bus fährt quer durch die Stadt. Sie hat einen
schönen Platz. Lena und Tim dürfen mit Lenas Mutter
mitfahren. Sie arbeitet auf der Post.

1

2

3

4

5 Schreibe die Wörter ab. Kreise den Selbstlaut ein, der sich ändert.

dürfen – …

> dürfen – ich darf – du darfst
> laufen – du läufst – er läuft
> fahren – du fährst – sie fährt

Die Wörter musst du dir gut einprägen.

6 Suche in der Wörterliste unter **S/s** alle Wörter mit **St/st** oder **Sp/sp**.
Schreibe sie auf. Markiere **St/st** oder **Sp/sp**.

7 Schreibe viele Wörter mit (eh).

gehen, …

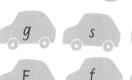

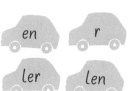

8 Schreibe mit jedem Übungswort einen Satz.
Oder:
Denke dir mit den Übungswörtern einen kleinen Text aus.
Unterstreiche die Übungswörter in deiner Lieblingsfarbe.

1 ✎ Wer **sagt** etwas, wer **fragt** etwas, wer **ruft** etwas?

Schreibe die Sätze ab und setze die richtigen Satzschlusszeichen.

Vergiss nicht ...

2 ✎ Bilde Sätze mit dem Verb (Tunwort) **fahren**.

Nina fährt mit dem Fahrrad zur Oma.

Wer	fährt	womit	wo/wohin?
Nina		mit dem Bus	in die Schule.
Opa	fahren	mit dem Fahrrad	zum Spielplatz.
Ich	fährst	mit dem Auto	zur Oma.
Wir	fährt	mit dem Zug	in die Ferien.
Die Klasse 2	fahre	mit dem Taxi	nach Hause.
Du		mit den Inlinern	auf dem Hof.

3 ✎ Auf dieser Lese- und Schreibstraße kannst du viele Sätze finden.

Tim sieht Mutter im Park.

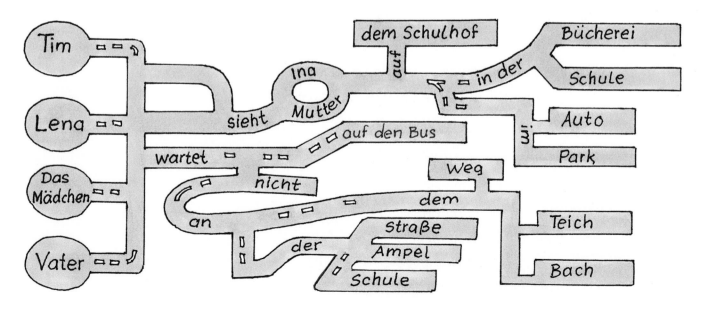

Ich kenne jetzt viele Sätze: Es gibt

Aussagesätze   Fragesätze   Aufforderungssätze

Den Unterschied kann man an der Betonung hören.

Und beim Lesen erkennt man ihn an diesen Zeichen:

1 Schreibe wie Aaron auf, woran du einen **Aussagesatz**,
einen **Fragesatz** oder einen **Aufforderungssatz** erkennst.

Oder:

Schreibe Aarons Text ab.

Zoe und Zilan verabreden sich

Zilan: Wollen wir heute mit den Fahrrädern fahren

Zoe: Au, fein Wohin wollen wir fahren

Zilan: Das können wir uns ja noch überlegen

Zoe: Auf dem Uferweg ist es schön

Zilan: Prima Ich hole dich um drei Uhr ab

2 Überlege bei jedem Satz, ob jemand etwas sagt, fragt oder ausruft.
Schreibe das Gespräch ab und setze passende Satzschlusszeichen.

Oder:

Schreibe deine Lieblingssätze mit den Zeichen . ? ! auf.

Was weißt du
schon von den
Wörtern?

3 Welche Stolperstellen musst du dir bei den Wörtern merken?

der ⦶ein   ⦶ät   der ⦶ern   ⦶ecken   ⦶ielen

die ⦶raße   die ⦶adt   ⦶ehen   ⦶itz   ⦶ringen

4 Erinnere dich, was du über Oscar oder Bogna erfahren hast. Schreibe es auf.

Das habe ich über … Schulweg erfahren: …

So heißen … Geschwister: …

Das war für mich besonders interessant: …

Was wächst denn da?

Himbeere

Erdbeere

Sonnenblume

Rose

Eichel

Efeu

Erbse

Tulpe

Löwenzahn

Birke

Apfel

Chili

Wenn du die Anfangsbuchstaben
der abgebildeten Pflanzen und Früchte
nacheinander zusammensetzt,
erfährst du den Namen einer Frucht,
die im Garten wächst.
Kennst du sie?

Die Wörter helfen dir beim Rätseln.

die Gärten in den vier Jahreszeiten beschreiben;
ein Rätsel zum Garten abschreiben und lösen, Adjektive unterstreichen;
die Wortart Adjektiv (Wiewort) kennen lernen

Ein Jahr im Garten

Ich bin ein Baum.
Ich trage runde Früchte.
Die Früchte schmecken süß und saftig.
Ich bin …

Ich bin ein Ding und hänge am Baum.
Ich bin eckig und innen hohl.
Ich habe ein kleines Loch als Eingang.
Ich bin …

1 Schau dir die Bilder genau an.
Erkennst du Frühling, Sommer, Herbst und Winter?
Beschreibe die Gärten in den vier Jahreszeiten.

2 Suche dir ein Rätsel aus. Schreibe es ab.
Male und schreibe das Lösungswort dazu.

3 Unterstreiche in deinem Text
die Wörter, die sagen, wie
die Dinge sind.
Nimm dazu einen grünen Stift.

> Wörter, die sagen, wie die Dinge sind,
> nennt man **Adjektive (Wiewörter)**:
> Der Apfel ist **süß**. – der **süße** Apfel
> Das Blatt ist **grün**. – das **grüne** Blatt

ein Rätsel zum Garten schreiben;
treffende Adjektive verwenden;
die Rätsel präsentieren

Ich bin ein Tier.
Ich bin klein, mein Fell ist weich.
Ich kann tiefe Löcher in die Erde graben
und kleine Erdhügel bauen.
Ich bin …

Ich bin eine Frucht.
Ich bin klein, rund und dunkelrot.
Ich hänge am Baum und habe
einen kleinen, harten Kern.
Ich bin …

1   Denke dir selbst ein Rätsel zum Garten
oder zu den Jahreszeiten aus.
Diese Wörter können dir helfen:

> gelb   braun   rot   weiß   grün
> orange   rund   hohl   lang   kurz
> spitz   stumpf   warm   kalt
> eisig   weich   hart   fein   leicht
> schwer   süß   sauer   bitter
> groß   klein   dick   dünn   krumm
> hoch   niedrig   rau   glatt
> saftig   klebrig   holzig   kahl

Ich bin klein und habe
schöne Flügel und darauf
sind manchmal viele kleine
Punkte. Ich habe braune Haut
mit einem schwarzen Rand.

Fabian

Ich bin rund und sehr groß
und wachse im Herbst. Ich
bin orange bis gelb und hart.
Mich kann man aushöhlen
und eine Kerze hineinstellen.

Luzie

2   Lest euch eure Rätsel vor oder
gestaltet eine Rätselwand.

einen Sachtext über das Veilchen lesen; Kriterien für
einen Steckbrief ableiten; einen Steckbrief schreiben;
Merkwörter mit V/v; Kommasetzung bei Aufzählungen

Wissen über Pflanzen festhalten

Das **Veilchen** hat violette Blüten.
Es wächst an schattigen Standorten
im Garten oder an Waldrändern.
Die Pflanze wird etwa 8 bis 10 Zentimeter
groß. Sie blüht von Februar bis April.
Das Besondere ist, dass das Veilchen
eine Zier- und eine Heilpflanze ist.
So kann ein Tee aus Veilchenblüten
bei Erkältung und Husten nützlich sein.

1 Lies den Sachtext über das Veilchen.
Kennst du alle Wörter?

Steckbrief Veilchen

Blütenfarbe: violett
Standort: schattig
Größe:
Blütezeit:
Besonderes:
Nutzen:

2 Überlegt, was ihr in dem Text
über das Veilchen wichtig findet.

3 Schreibe und male einen Steckbrief
über das Veilchen.
Die unterstrichenen Wörter helfen dir dabei.

Ich bin in **Vergissmeinnicht**,
in **Vater** und in **Vogel**.
Ich stehe **vorn** in **vor**, **vom**, **von**
und auch in **voll** und **viel**.
Du siehst mich hier in **vier** und **Veilchen**.
Nun übe ein Weilchen.

4 Sprich die farbigen Wörter deutlich. Was hörst du am Wortanfang?
Was musst du aber schreiben?

5 Schreibt die **V/v-Wörter** auf ein Plakat für die Klasse.
Kennt ihr noch mehr **V/v-Wörter**? Schlagt in der Wörterliste nach und ergänzt.

> **Aufzählungen** werden durch ein **Komma** getrennt.
> der Vater, der Vogel, vor, von, viel, …

mit Informationen aus dem Steckbrief einen Lückentext ergänzen;
Gegensatzpaare von Adjektiven finden;
zu Bildern Sätze mit treffenden Adjektiven schreiben

1 Lies den Steckbrief für die Ringelblume. Was erfährst du über die Pflanze?

> **Steckbrief Ringelblume**
>
> Blütenfarbe: hellgelb bis hellorange
> Standort: sonnig und trocken
> Größe: 30-60 Zentimeter
> Blütezeit: Juni bis Oktober
> Besonderes: Zier- und Arzneipflanze
> Nutzen: als Salbe gegen trockene und wunde Hände

Die Ringelblume

Die Ringelblume blüht etwa von … bis … .
Ihre Blüten sind … bis … .
Die Ringelblume braucht einen … und … Standort.
Aus den Blütenköpfen wird Salbe hergestellt.
Sie hilft gegen … und … Hände.

> Adjektive (Wiewörter) schreibt man klein.

2 Ergänze die fehlenden Angaben aus dem Steckbrief. Schreibe den vollständigen Text ab.

3 Unterstreiche die Adjektive (Wiewörter) grün.

4 Suche die Gegensatzpaare und schreibe sie auf.

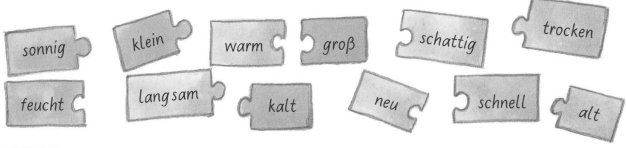

sonnig   klein   warm   groß   schattig   trocken

feucht   langsam   kalt   neu   schnell   alt

Tag   Winter   Kürbis   Wiese

5 Finde zu jedem Bild einen Satz.
Verwende Adjektive (Wiewörter) von Aufgabe 4.
Schreibe so: *Die Wiese ist feucht. – die feuchte Wiese*

71

Die schnellste Bohne der Stadt

Das ist Linnea.
Sie hat sich im Gartenmarkt
eine Tüte Feuerbohnen gekauft.

1 Was wisst ihr über Feuerbohnen?

Eine Bohne taufte Linnea auf den Namen Rosa.
Und so hat sie Rosa großgezogen:

2 Beschreibe, wie Linnea ihre Feuerbohne großgezogen hat.

3 Ordne die Sätze den Bildern zu.
Schreibe sie in der richtigen Reihenfolge auf.

Sie gießt die Erde und stellt den Topf in die Nähe der Heizung.

Jeden Tag wächst Rosa weitere Zentimeter und braucht bald ein Stöckchen.

Linnea füllt einen Blumentopf mit Erde und drückt Rosa etwa 2 Zentimeter tief hinein.

Schon nach vier Tagen zeigen sich die ersten grünen Spitzen.

An einer Schnur rankt Rosa immer weiter und bekommt schöne rote Blüten.

Nach zwei Wochen ist Rosa genauso groß wie Linnea!

4 Hier noch ein Tipp von Linnea: Wenn man die Bohnen nach draußen
verpflanzt (auf einen Balkon oder in einen Garten), kommen nach
den Blüten riesige Bohnen.
Aber Achtung: Die Bohnen darf man nur gekocht essen, roh sind sie giftig!

Fragen zu einem Text beantworten;
durch den Text angeregt, in der Bücherei ein Buch ausleihen;
eine Anleitung verstehen und umsetzen

Was geschieht, wenn etwas keimt?

Warum keimte sie nicht schon in der Tüte? Ich muss meinen Freund Blümle fragen.

Warum fing Rosa an zu keimen, als sie in die Erde kam?

„Wenn eine Bohne oder ein Samen keimen soll", sagt Blümle,
„braucht man drei Dinge: Wasser, Sauerstoff und Wärme."
Als Rosa in die feuchte, warme Erde kam, saugte sie Wasser auf
(in der Tüte war es ja trocken und kühl gewesen).
Mit Hilfe des Wassers und des Sauerstoffs in der Luft,
der durch die Erde drang, konnte Rosa anfangen zu wachsen.
Sie wuchs nach oben und nach unten. Nach oben wurden es
Blätter, nach unten Wurzeln.

Christina Björk, Lena Anderson

1 Beantworte Linneas Fragen mit deinen eigenen Worten.

2 Lesetipp: Besorgt euch das Buch und lest es in der Klasse.

Eine Gärtnerei auf der Fensterbank

Füllt Blumentöpfe mit Erde.
Streut einige Samenkörner aus.
Sprüht ein wenig Wasser darauf.
Stellt die Blumentöpfe auf die Fensterbank.
Haltet die Erde immer etwas feucht.

3 Ziehe selbst eine Pflanze groß. Diese Samen eignen sich gut:

Pops Lese- und Lollis Rechtschreibforschertipps anwenden;
Übungstext abschreiben; Übungswörter trainieren; Wörter nach dem
Alphabet ordnen; Wörter mit Doppelvokal; zusammengesetzte Nomen

der	Garten
die	Pflanze
der	Sommer
das	Blatt
die	Blüte
der	Name
	wollen
	helfen
sie	hilft
sie	gibt
	wissen
er	weiß
	blühen
	essen
	kennen
	viel
	weiß
nicht	

Ein Pflanzenrätsel

Sophie und Fabian wollen im Garten arbeiten. Fabians
Mutter hilft ihnen. Sie gibt ihnen kleine Pflänzchen.
Fabian weiß: Die Pflanzen brauchen Wasser, aber nicht
zu viel. Sie blühen im Sommer. Die Blätter sind gezackt,
die Blüten weiß. Die Früchte sind rot und süß. Man kann
sie essen. Kennst du den Namen?

1 In den Blättern haben sich Übungswörter versteckt.
Schreibe sie richtig auf.

Blatt, ...

..att   ..üh..   .enn..

.omm..   ess..   .elf..   ...anz.   .oll..   .iss..

2 Ordne die Übungswörter nach dem ABC.
Oder:
Ordne die Wörter aus Aufgabe 1 nach dem ABC.
Blatt, ...

> Aufzählungen
> werden mit Komma
> getrennt.

3 Bilde Wörter mit **aa**, **ee** und **oo**.
Schreibe die Nomen (Namenwörter) mit dem Artikel auf.
die Beere, ...

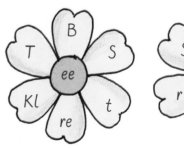

4 Bilde zusammengesetzte Nomen (Namenwörter) mit **Garten**.
Kennst du alle Wörter?
die Gartenarbeit, ...

Garten

Arbeit   Zwerg   Bank   Gerät
Zaun   Haus   Fest   Buch

treffende Adjektive finden;
Sätze bilden; Wortarten markieren;
Selbstlaute in einem Text ergänzen; Partnerdiktat

1 Wie sind die Dinge?

Wähle passende Adjektive (Wiewörter) aus
und schreibe kleine Sätze.
Unterstreiche die Adjektive (Wiewörter) grün.

Die Radieschen sind rot – die roten Radieschen.

Salat

Gurke

Tomaten

Radieschen

Möhren

Bohnen

| lang | scharf | grün | wässrig | klein | lecker |
| groß | rot | roh | glatt | saftig | süß | frisch |

2 Wer isst was?

Baue mit dem Satzschieber Sätze. Schreibe sie auf.

Mirko isst süße Möhren mit Äpfeln.

Ich		saftige Tomaten mit Basilikum.
Mama		grünen Salat mit vielen Kräutern.
Wir	esse	scharfe Radieschen mit Salz.
Mirko	isst	süße Möhren mit Äpfeln.
…	essen	grüne Bohnen mit Soße.

3 Unterstreiche bei deinen Sätzen die Nomen (Namenwörter) blau,
die Verben (Tunwörter) rot und die Adjektive (Wiewörter) grün.

Mirko isst süße Möhren mit Äpfeln.

4 In diesem Text fehlen alle Selbstlaute. Schreibe den Text richtig auf.

Fabian und Sophie …

F_b__n _nd S_f__ _rb__t_n _m G_rt_n.
D__ M_tt_r g_bt _hn_n kl__n_n Pfl_nz_n.
F_b__n _nd S_f__ pfl_nz_n s__ _n d__
_rd_ _nd g_b_n _hn_n W_ss_r. _m S_mm_r
h_b_n d__ Pfl_nz_n r_t_ Frücht_, d__ m_n
_ss_n k_nn. S__ schm_ck_n s_hr süß.

5 Suche dir einen Partner. Übt den Text aus Aufgabe 4 im Partnerdiktat.

Ein Wissenstest

Adjektive:
- ❋ nennt man auch Wiewörter.
- ❋ sagen, wie Pflanzen, Tiere, Menschen und Dinge sind.
- ❋ werden mal groß- und mal kleingeschrieben.
- ❋ stehen oft vor Nomen (Namenwörtern).
- ❋ kann man anfassen.

---

1 Wie gut kennst du dich aus?
Prüfe, welche Sätze über Adjektive stimmen und welche nicht.
Schreibe die richtigen ab.

2 Suche im Kapitel mindestens 10 Adjektive (Wiewörter)
und schreibe sie auf.
Diese Adjektive (Wiewörter) sind mir aufgefallen: ...

> Denke daran:
> Aufzählungen werden
> durch ein Komma
> getrennt.

Die Feuerbohne

3 Ordne die Wörter nach Wortarten.

Nomen (Namenwörter): ...
Verben (Tunwörter): ...
Adjektive (Wiewörter): ...

Feuerbohne   scheinen   Bett   Zimmer
wachsen   Schrank   ranken   hell
Tisch   lang   schnell   Ball   grün
Fenster   Mond   dunkel   schlafen   liegen

4 Schreibe eine lustige oder eine unheimliche Geschichte zu dem Bild.
Die Wörter von Aufgabe 3 helfen dir.

Großeltern, Eltern, Kinder

Kinder allesamt

Von deinem Vater, deiner Mutter
bist du das Kind.

Von deinen Großvätern, deinen Großmüttern
sind deine Eltern die Kinder.

Von deinen Urgroßvätern, deinen Urgroßmüttern
sind deine Großeltern die Kinder.

Also sind deine Großeltern, deine Eltern
und du allesamt …

Hans Manz

nach Bildern und Texten verschiedene
Familienformen beschreiben;
Verwandtschaftsverhältnisse richtig bezeichnen

Kinder und Erwachsene leben zusammen

Familie Stein

Familie Weber

Familie Pohl

Fritzens ganze Familie
Ich heiße Fritz,
Unser Hund heißt Spitz,
Miezevater unser Kater.
Papa heißt Papa;
Mama heißt Mama;
Meine Schwester heißt Ottilie:
Das ist unsere ganze Familie.
Wir hätten gern noch eine Kuh
Und ein Pferd dazu.

Familie Yilmaz

Emil Weber

1 Familien können sehr verschieden sein.
Erzähle.

2 Ferhat erzählt von seiner Familie.
Was erfährst du?

3 Schreibe auf, welche Personen
zu Ferhats Familie gehören.
Das ist Ferhats Familie:
Vater: Ercan

> *Familie Yilmaz*
> Ich heiße Ferhat Yilmaz und
> stehe beim Fußball im Tor. Mein
> Vater heißt Ercan und meine
> Mutter Fatma. Ich habe drei
> Geschwister. Meine Schwester
> Alev ist jünger als ich. Meine
> Schwestern Saime und Alisha
> sind älter. Wir wohnen alle
> hinter unserem kleinen Laden.
>   Ferhat

4 Wie ist es richtig?

Bruder und Schwester sind ...   Großeltern

Mutter und Vater sind ...   Geschwister

Oma und Opa sind ...   Eltern

die Familie in Text und/oder Bild vorstellen;
Wortfamilie „wohnen" kennen lernen;
Begriffe Wortfamilie und Wortstamm

Meine Familie – deine Familie

Ich heiße Marcela und bin in Peru geboren. Gleich nach meiner Geburt kam ich ins Heim. Hartmut und Gabriele haben mich adoptiert. Sie sind meine Eltern.

Marcela Weber

Mein Name ist Lukas. Ich lebe bei meiner Mutter. Meine Eltern sind geschieden. Papa holt mich jedes zweite Wochenende ab. Wir fahren auch zusammen in den Urlaub. Zu mir gehört noch mein Kater Paul.

Lukas Pohl

1 Stelle deine Familie vor. Schreibe, male oder klebe ein Foto auf.
Oder:
Schreibe das Gedicht von Fritzens Familie auf ein großes Blatt. Male die Familienmitglieder dazu.

Eine „Wortfamilie"

2 Setze die Wortbausteine zu Wörtern zusammen. Alle deine Wörter müssen einen roten Baustein haben.

die Ferienwohnung, …

be		en	haus
Be	Wohn	t	zimmer
Ferien	wohn	lich	wagen
Miet		ung	ort
		er	

Marcela … mit ihren Eltern in einem Neubau.
Ihre … liegt im Dachgeschoss.
Am … ist ein großer Balkon.
Marcela … das größte Zimmer. Das findet sie toll!
Im Sommer fahren alle gern mit dem … in den Urlaub.

3 Setze die passenden Wörter aus Aufgabe 2 in die Lücken. Schreibe den Text ab.

4 Die Wortfamilie **wohnen** ist noch viel größer.
Findest du weitere Wörter?
die Wohnküche, …

> Jedes Wort hat einen **Wortstamm**, der meist gleich bleibt.
> Wörter mit dem gleichen Wortstamm bilden eine **Wortfamilie**:
> **wohn**en, die **Wohn**ung, **wohn**lich, …

nach Bildern die Gefühle der Kinder beschreiben;
schreiben, was jemand gut kann; über Aufgaben im Haushalt schreiben;
Wünsche für gemeinsame Unternehmungen aufschreiben

In einer Familie ist immer etwas los

1 Was ist hier los? Wie fühlen sich die Kinder?

2 Schreibe auf, was in deiner Familie jemand gut kann.

Meine Oma …

Mein großer Bruder …

Meine Mutter …

…

3 Welche Aufgaben übernimmst du zu Hause?
Was können nur Erwachsene erledigen?
Lege zwei Listen an und trage ein.

Das kann ich schon	Das darf ich noch nicht
…	…

ein Loch bohren
Staub saugen
Wäsche bügeln
Haustier füttern
Geschirr abtrocknen
Essen kochen
Fenster putzen
Lebensmittel einkaufen
Blumen gießen
Schuhe putzen
jemanden trösten
Mülleimer leeren
Tisch decken

4 Wenn alle mithelfen, bleibt mehr Zeit
für gemeinsame Unternehmungen.
Das wünsche ich mir

80

eine Glückwunschkarte mit Hilfe von Mustern schreiben;
Schreibhinweise beachten; Wörter im Gitterrätsel finden;
Wörter mit doppelten Mitlauten üben

Eine Geburtstagskarte für Oma

Liebe Oma!

Oma hat bald Geburtstag.

Ich habe Oma lieb. Wie soll ich das zeigen?

Hallo Omi!

ein fröhliches Jahr

Liebe Großmutter!

viel Freude

?

?

Ich wünsche dir ...

ein Schokoladenherz

Ich schenke dir ...

Ich gratuliere dir ...

Ich finde dich toll.

1 Xaver will seiner Oma eine selbst gemalte Glückwunschkarte schenken.
Wie sollte er am besten den Text dafür zusammensetzen?
Überlege dir, wie Xaver am Schluss unterschreiben könnte.

2 Gestalte für den nächsten Geburtstag in deiner Familie eine Glückwunschkarte.
Überlege dir einen passenden Text:
* Wie willst du das Geburtstagskind ansprechen?
* Was wünschst du ihm?
* Wie unterschreibst du zum Schluss?

3 In dem Gitterrätsel findest du 12 Dinge,
die auf einer festlichen Geburtstagstafel
stehen können.

Das kann auf einer Geburtstagstafel
stehen:
Kerzen, ...

S	E	R	V	I	E	T	T	E	N
C	T	X	Y	Z	X	A	E	Y	U
H	E	Z	X	Y	Z	S	E	S	S
Ü	L	X	Y	Z	X	S	Y	A	S
S	L	K	A	F	F	E	E	H	T
S	E	Z	K	A	N	N	E	N	O
E	R	B	L	U	M	E	N	E	R
L	Ö	F	F	E	L	X	Y	Z	T
N	X	K	E	R	Z	E	N	Y	E

4 Übt die Wörter mit einem doppelten
Mitlaut als Partnerdiktat.

durch Textimpulse angeregt, über das Familienleben
mit Geschwistern bzw. ohne Geschwister erzählen;
passende Adjektive für Brüder und Schwestern finden

Geschwister sind mal so, mal so

Ich habe eine Schwester und einen
Bruder. Das ist toll. Bei uns ist
immer was los. Ich habe immer
einen zum Spielen. Wir können viel
zusammen machen. Natürlich gibt es
auch schon mal Streit. Manchmal
verpetzt mich meine Schwester bei
den Eltern. Abends will sie immer
schlafen, wenn ich noch lesen oder
erzählen möchte.

Emily, 8 Jahre
(Schwester, 6 Jahre/Bruder, 4 Jahre)

1 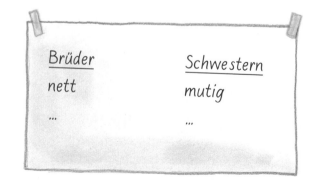 Geschwister kann man mal so
oder so sehen.
Was erzählen das Bild und
die Texte?

2 Erzähle von dir:
Wie ist es mit Geschwistern?
Wie ist es ohne Geschwister?

3 Schreibe etwas über dich, wie es
Emily oder David gemacht haben.
Oder:
Schreibe, wie du dir einen Bruder/
eine Schwester wünschst.

Ich habe keine Geschwister.
Ich bin auch ganz zufrieden so.
Ich habe mein Zimmer ganz
für mich allein. Es stört mich
keiner bei den Schularbeiten.
Keiner macht mir was durch-
einander. Ich brauche mich
nicht zu ärgern. Wenn ich
Langeweile habe, treffe ich
mich mit einem Freund.

David, 9 Jahre alt

4 Bildet kleine Gruppen.
Stellt ein Plakat zusammen.
So können Schwestern sein: mutig ...
So können Brüder sein: nett ...

Brüder	Schwestern
nett	mutig
...	...

5 Hängt eure Ergebnisse auf.
Was fällt euch auf?

Hannes ist wütend. Seit vier Wochen hat er ein
Schwesterchen. Anna-Sofie wird wie eine Prinzessin
behandelt. Mama hat überhaupt keine Zeit mehr für ihn.
Und Papa ist nicht da. Er ist für die Firma verreist.
Erst morgen kommt er zurück.
So lange will Hannes nicht mehr warten.

… Ausziehen wird er.
Genau, er wird seinen Rucksack
packen und für immer verschwinden!
Er wird auf einer Bank im Park schlafen.
Oder in einem Eisenbahnwagen am
Güterbahnhof. Oder sonst irgendwo.
Vielleicht wird er sogar auswandern.
Nach Amerika oder Australien.
Dann kann Mama sich Tag und Nacht
um Anna-Sofie kümmern.
Hannes ist ihr ja sowieso egal.
Schrecklich egal …

Anne Steinwart

1 Was erfährst du über Hannes
und seinen Kummer?

2 Überlegt, wie die Geschichte
weitergehen könnte.

Lieber Hannes,
bitte überlege dir das.
Ich verspreche dir
auch …

Liebe Mama,
ich …

Hannes

Was wird
Papa sagen, wenn ich
ausziehe?

3 Schreibe auf, wie du weitererzählen würdest.

Hannes will ausziehen

Oder:

Hannes hat es sich überlegt

83

Pops Lese- und Lollis Rechtschreibforschertipps anwenden;
Übungstext abschreiben; Übungswörter trainieren; doppelter Mitlaut;
Wörter nach Wortarten ordnen; Wortstamm und Wortfamilie

Eine Feier in der Familie

Morgen feiert Jan Geburtstag. Er wird acht Jahre alt. Jan
wünscht sich von seinen Eltern ein schnelles Rennauto.
Jans Schwester Anna kauft ihm ein spannendes Buch.
Sein Bruder Lars bastelt Blüten und Blätter. Er will den
Tisch schön schmücken. Mutter backt einen großen
Kuchen, denn alle Freunde werden kommen.

die Feier
die Familie
die Eltern
das Auto
die Schwester
der Bruder
der Tisch
der Kuchen
feiern
schmücken
backen
schnell
schön
morgen
alle

1 Im Text sind zehn Wörter mit doppelten Mitlauten versteckt.
Schreibe sie ab. Kennzeichne die kurzen Selbstlaute
und die doppelten Mitlaute.
schnelles, ...

2 Suche in der Wörterliste unter **M/m** und **S/s** alle Wörter mit doppeltem Mitlaut.
Schreibe sie auf. Kennzeichne die doppelten Mitlaute.

3 In der Wörterschlange sind viele Übungswörter versteckt.
Ordne die Übungswörter nach Wortarten und schreibe sie auf.
Nomen (Namenwörter): ...
Verben (Tunwörter): ...
Adjektive (Wiewörter): ...

FEIERSCHÖNSCHMÜCKENBACKENBRUDERSCHNELLELTERNFEIERNFAMILIE

4 Schreibe viele Wörter mit (ell).
schnell, ...

W	Qu	T	F	St			e
							en
b	K	st	h	schn	ell	er	

5 Ordne die Wörter nach Wortfamilien. Unterstreiche den Wortstamm.
Finde weitere „Familienmitglieder".
backen, ...
feiern, ...
...

backen   feiern   schmücken
Geburtstagsfeier   geschmückt
Backofen   Tischschmuck   Bäckerei   feierlich

1 ✎ Baue einen Riesensatz mit den Übungswörtern.

Jan feiert.

Jan feiert morgen.

Jan feiert morgen …

2 ✎ Wer backt was?

Mutter backt einen Kuchen mit Äpfeln.

Wer	backt	was?	
Mutter		einen Kuchen	mit Äpfeln.
Jan	backe	eine Torte	mit Sesam.
Wir	backt	ein Brot	mit Mohn.
Sie	backen	viele Brötchen	mit Rosinen.
Ich		ein Vollkornbrot	mit Nüssen.

3 ✎ Welche Wörter passen in die Sätze?

Schreibe den vollständigen Text ab.

Morgen feiert Jan …

Morgen feiert Jan mit seiner Geburtstag.

Die backt einen Kuchen.

Sein schmückt den Tisch. Die hilft ihm dabei.

Jan wünscht sich von seinen ein Rennauto.

Der hat das Geschenk schon gekauft.

Mutter   Familie

Bruder   Vater

Eltern   Schwester

4 🗑 Schreibe die Sätze von Aufgabe 3 auf Streifen. Übe sie im Dosendiktat.

5 ✎ Hier ist etwas verrutscht. Schreibe den Text richtig auf.

Morgen ist …

Mor geni stei negroß eFeier.

Ja nwir dach tJahr ealt.

Erwü nschtsi chei nschn ellesRe nnauto.

Mut terha tei nengro ßenKu chengeback en.

Al leFreun dewer denkom men.

Fragebogen zum Kapitel

Welche Aufgabe hat dir besonders Spaß gemacht?
Als ich über meine Geschwister erzählt habe.

Was willst du dir gut merken?
Jedes Wort hat einen Wortstamm. Wörter mit dem gleichen Wortstamm gehören zusammen.

Welche Aufgabe war für dich am schwierigsten?
...

Das will ich noch sagen:
...

1 Lies dir den Fragebogen genau durch. Beantworte dann die Fragen, wie Jan es getan hat. Schreibe deine Antworten auf.

Sonntagsausflug

„Wollen wir am Sonntag nicht mal mit dem Zug durchs Donautal fahren?", fragt Vater.
„Ich habe in der Zeitung den Fahrplan gesehen. Abfahrt ist 9.30 Uhr. Wir können sogar Fahrräder mitnehmen."
„Super", sagt Justus. „Wenn wir um 9 Uhr von zu Hause losfahren, können wir rechtzeitig die Fahrkarten kaufen. Wann können wir zurückfahren?"
„Rückfahrt ist 17 Uhr", antwortet Vater.

2 In dem Text stehen acht Wörter, die zur gleichen Wortfamilie gehören. Schreibe die Wörter auf und kennzeichne den Wortstamm.

3 Welche Stolperstellen musst du dir bei diesen Wörtern merken? Was weißt du schon von den Wörtern?

die Mu◯er   e◯en   schne◯   a◯e   Pu◯e   o◯en

die So◯e   der Pu◯ing   ke◯en   Schü◯el   la◯en   he◯

4 Das ist mir bei den Wörtern von Aufgabe 3 aufgefallen:
Ich schreibe einen ... Mitlaut, wenn der Selbstlaut ... gesprochen wird.

Mit diesen Computer-Tasten kannst du
Zutaten für einen Obstsalat aufschreiben.
Sechs Zutaten sind auch im Bild versteckt.
Wenn du ganz genau überlegst, kannst du
sogar mehr als sechs Zutaten schreiben.

eine Frühstückssituation unter verschiedenen Blickwinkeln betrachten;
Aussagesätze bilden; Großschreibung am Satzanfang
und Satzschlusszeichen beachten

Am Morgen zwischen sieben und neun Uhr

1 Eigentlich wollten Anna, Clemens, Mama und Papa ganz gemütlich frühstücken. Aber tun sie das wirklich?
Was erzählt das Bild vom Frühstück?

2 Was denken Anna, Clemens, Mama, Papa und der Hund Aiko?
Schreibe so:

Anna *Jetzt muss ich mich beeilen.*

3 Erzählt vom Frühstück in euren Familien.

4 Um welches Frühstück geht es hier?
Bilde aus den Satzteilen Aussagesätze. Schreibe sie auf.

Woran musst du bei Aussagesätzen denken?

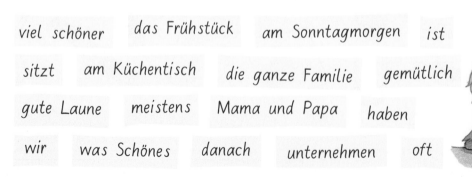

viel schöner	das Frühstück	am Sonntagmorgen	ist
sitzt	am Küchentisch	die ganze Familie	gemütlich
gute Laune	meistens	Mama und Papa	haben
wir	was Schönes	danach	unternehmen	oft

5 Schreibe von deinem Frühstück an einem Wochentag oder am Sonntag.
Oder:
Schreibe einen Text über das Frühstück in Annas Familie.

ein Klassenfrühstück planen; Wünsche aufschreiben;
Doppellaute im Text ergänzen; Begriff Doppellaute (Zwielaute)
kennen lernen; Regeln für ein Klassenfrühstück

1 Es müsste doch schön sein, zusammen mit der ganzen Klasse zu frühstücken. Überlegt, wie das ablaufen könnte.

2 Schreibe deine Frühstückswünsche auf.

Meine Frühstückswünsche

Ein Klassenfrühstück planen

Am Fr🍌tag gibt es 🍌n Klassenfrühstück.
Alle Kinder fr🍐en sich dar🍎f.
H🍐te besprechen sie, was sie dafür br🍎chen.
🍎ßerdem vert🍌len sie die 🍎fgaben.
Dr🍌 Kinder k🍎fen 🍌n. Die Sachen dürfen nicht
zu t🍐er s🍐n. P🍎la und ihre Fr🍐ndin bringen
von zu H🍎se Tischdecken mit. Jedes Kind schr🍌bt
für 🍌n anderes 🍌ne Tischkarte. Und wer wischt
nach dem Frühstück die Tische s🍎ber?

Was bedeuten denn der Apfel, die Banane und die Birne?

3 Lest den Text. Ergänzt dabei die fehlenden Laute.

4 Schreibe den Text richtig auf.
Oder:
Setze für das Obst die fehlenden Laute ein.
Ordne die Wörter in eine Tabelle ein.

Ei, **au** und **eu** nennt man **Doppellaute (Zwielaute).**

🍎	🍌	🍐
dar...		

Jeder hilft bei der Vorbereitung.

Wir decken den Tisch schön.

Unser Klassenfrühstück

Wir fangen zusammen an und hören zusammen auf.

Wir reichen uns das Essen zu.

Jeder hilft beim Aufräumen.

eine Anleitung verstehen; eine Zutatenliste schreiben;
zusammengesetzte Nomen bilden;
spielerisch mit zusammengesetzten Nomen umgehen

Frühstücksspaß mit Müsli und mehr

Wie viel Milch brauche ich?

Für wie viele Personen ist das Rezept?

Müsli-Mischung

Zuerst schäle ich eine **Banane** und schneide sie in Scheiben.
Dann schneide ich einen gewaschenen **Apfel** in kleine Schnitze.
Ebenso schneide ich ein paar **Weintrauben** oder einen **Pfirsich**
in Stücke. Nun schütte ich zwei Tassen **Milch** in eine Schüssel.
Ich rühre vier Esslöffel **Haferflocken** hinein. Danach gebe
ich das Obst, einen Esslöffel zerkleinerte **Nüsse** und
einen Esslöffel **Rosinen** dazu. Zum Schluss rühre
ich alles vorsichtig um. Und schon ist
das Müsli für vier Personen fertig.

Welche Früchte sind in dem Müsli?

Sind in dem Müsli Sonnenblumenkerne?

Was sind Schnitze?

1 Lies den Text.
Kannst du alle Fragen beantworten?

2 Schreibe eine Liste mit den Zutaten
für die Müsli-Mischung.

> Müsli-Mischung
> (4 Personen)
>
> 1 Banane
> ...

3 Mit diesen Karten kannst du
leckere Speisen zusammenstellen.
der Apfel, der Kuchen – der Apfelkuchen

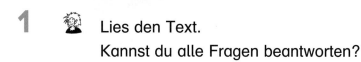

| Apfel | Honig | Müsli | Saft | Früchte | Kuchen | Brötchen |
| Butter | Orangen | Brot | Nuss | Kräuter | Jogurt | Quark |

4 In jedem Zopf stecken zwei Nomen (Namenwörter).
der Apfeljogurt – der Jogurtbecher, ...

APFELJOGURTBECHER   KIRSCHKUCHENTELLER

ROSINENBROTKORB   FRUCHTSAFTFLASCHE   BANANENMILCHREIS

eine Anleitung verstehen; ein Getränk selbst zubereiten;
nach Vorgabe ein Rezept schreiben, auf die Reihenfolge achten;
einen lustigen Tischspruch aufsagen

Ein Bananen-Shake (für zwei Kinder)

Das braucht ihr:

- 2 Bananen
- einen halben Liter Milch
- Gabel
- Teller
- Messbecher
- Rührschüssel
- Schneebesen
- 2 Gläser

1 Ein Bananen-Shake
schmeckt lecker.
Probiert es einmal aus,
ihn zuzubereiten.

2 Schreibe auf, wie
der Bananen-Shake
zubereitet wird.
Benutze dazu auch
die Wörter.
Bananen-Shake
Zuerst ...

als Erstes
zuerst
dann
danach
nun
zuletzt
zum Schluss

abmessen
füllen
mischen
zerdrücken
verrühren
eingießen

3 Das Wort **Shake** kommt aus
der englischen Sprache.
Finde heraus, was es bedeutet.

4 Ein gemeinsames Frühstück
macht besonders Spaß,
wenn man einen lustigen
Tisch-Spruch aufsagt.

Spissi spassi

Spissi spassi Casperladi
Hicki hacki Carbonadi
Trenschi transchi Appetiti
Fressi frassi fetti fitti
Schlicki schlucki Casperluki
Dricki drucki mameluki
Michi machi Casperlores
Spissi spassi tschu capores.

Franz Graf Pocci

sich über Lieblingsspeisen verständigen;
über die eigene Lieblingsspeise schreiben, sie vorstellen;
die Herkunft von Lebensmitteln erkunden

Unsere Lieblingsspeisen

Ich mag am liebsten Köfte.
Das sind kleine türkische
Hackfleischbällchen.
Die schmecken ganz
lecker.   Murat

Ich esse am liebsten Brownies.
Das ist ein Schokoladenkuchen
aus Amerika. Am besten
schmeckt er, wenn er warm
ist.   Nina

Ich esse am liebsten Pasta
mit scharfer Tomatensoße.
Bei meiner Nonna
schmeckt sie am besten.
                    Luca

Wenn meine Oma kommt, macht
sie immer Maultaschen.
Die esse ich am liebsten.
Die Füllung schmeckt
ein bisschen scharf. Robin

1 Was essen die Kinder besonders gern?
Woher kommen die Speisen?

2 Schreibt über eure Lieblingsspeisen. Stellt sie euch gegenseitig vor.

3 Oft haben die Lebensmittel, die wir essen,
einen langen Weg hinter sich.
Woher kommen diese Dinge?
Der Kaffee kommt aus ...

4 Erkunde, woher die Lebensmittel für deine Lieblingsspeise kommen.

Verben mit Wortbausteinen kennen lernen;
Veränderung der Wortbedeutung durch Wortbausteine erfahren
und in Sinnzusammenhängen anwenden

Was du mit einem Rezept machen kannst

Nina, kannst du mir
das Rezept von den Brownies mitbringen?
Ich frage meine Oma, ob wir es mal
ausprobieren können.

Mach ich.
Ich muss es nur
aufschreiben.

 1   2    3    4    5

| ausprobieren | durchlesen | verschenken | abheften | aufschreiben |

1 ✏ Die Bilder zeigen, was du mit einem Rezept machen kannst.
Schreibe zu jedem Bild einen Satz mit dem passenden Verb (Tunwort).
1 Ein Rezept kann ich aufschreiben. 2 Ein Rezept …

2 ✏ Kreise bei jedem Verb (Tunwort) den Wortbaustein am Anfang des Wortes ein.

3 ✏ Setze Verben (Tunwörter) mit passenden Wortbausteinen zusammen.
Schreibe nur die Verben (Tunwörter) auf, die du auch erklären kannst.
lesen: ablesen, …

ab	um	aus		lesen	rühren	waschen
ver	ein	auf		räumen	lecken	wiegen

Ninas Brownies
Zuerst … ich mir das Rezept … .
Dann … ich die Zutaten … . In einer Schüssel
… ich alles gut … . Danach … ich den Teig
in eine Kuchenform. Während der Kuchen
gebacken wird, … ich alles … und … … .
Aber vorher … ich noch die Schüssel … .

abwiegen	umrühren
durchlesen	abwaschen
aufräumen	füllen
auslecken	

4 ✏ Setze Verben (Tunwörter) in der richtigen Form ein. Schreibe den Text auf.
Ninas Brownies
Zuerst lese ich mir das Rezept durch.

Pops Lese- und Lollis Rechtschreibforschertipps anwenden;
den Übungstext abschreiben; die Übungswörter trainieren;
Wörter mit ck; Sätze bilden; Wortstamm bei Verben markieren

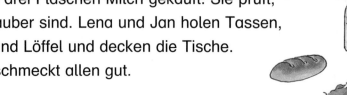

Gemeinsam frühstücken

Heute frühstücken wir zusammen mit der ganzen Klasse.

Einige Kinder bringen Brot, Butter und Äpfel von

zu Hause mit. Paul und Anna stellen Tischkarten hin.

Die Lehrerin hat drei Flaschen Milch gekauft. Sie prüft,

ob die Tische sauber sind. Lena und Jan holen Tassen,

Teller, Messer und Löffel und decken die Tische.

Das Frühstück schmeckt allen gut.

das Brot
die Butter
der Apfel
die Flasche
die Milch
die Tasse
der Teller
das Messer
der Löffel
schreiben
prüfen
holen
decken
schmecken
zusammen
sauber

1 ✎ Welche Übungswörter stecken in der Schlange?
Schreibe die Wörter vollständig auf.
Löffel, …

L...el Fl....e B...er schr...en Mil.. schm...en d...en zus....en

2 Präge dir die Wörter aus Aufgabe 1 gut ein.
Denke an die sechs Schritte zum Einprägen.

3 ✎ Bilde Wörter mit (eck).
decken, …

| d | w | l | schl | schm | n | m | | e | en |
| W | Fl | D | Schn | H | | | (eck) | er | ern | el |

4 ✎ 📖 Bilde viele Sätze mit **holen**. Unterstreiche, was bei **holen** gleich bleibt.
Ich hole …
Du holst …
Sie holt …
Wir holen …
…

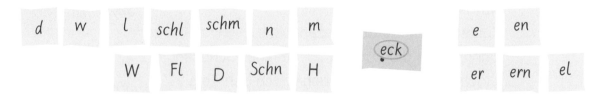

Verben mit Wortbausteinen bilden und in Sinnzusammenhängen
anwenden; Sätze bilden; Satzzeichen ergänzen;
Wörter mit Doppellauten; Fehlertext

1 ✎ Würfle immer einen Wortbaustein und ein Verb (Tunwort).
Schreibe nur die Verben auf, die du erklären kannst.
abholen, ...

⚀	ab	⚀	holen
⚁	mit	⚁	schreiben
⚂	nach	⚂	spielen
⚃	auf	⚃	fahren
⚄	ein	⚄	nehmen
⚅	vor	⚅	geben

2 ✎ Schreibe mit deinen Verben (Tunwörtern) aus Aufgabe 1 sechs Sätze.

3 ✎ Füge die Satzteile richtig zusammen. Ergänze die fehlenden Satzzeichen (. ? !).
Heute frühstücken wir gemeinsam mit der Klasse.

Heute frühstücken wir

Vergiss nicht,

schreiben Tischkarten ▮

von zu Hause mit ▮

Wer bringt Brot und Butter

auf das Frühstück ▮

gemeinsam mit der Klasse ▮

Paul und seine Freundin

Alle Kinder freuen sich

drei Flaschen Milch zu kaufen ▮

4 ✎ In den Kreisen
sind viele
Wörter mit
au, **ei**
und **eu**.
Baum, ...

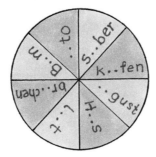
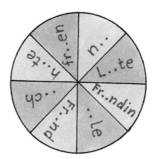
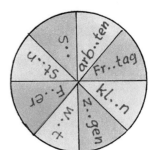

5 ✎ In dem Text sind vier Wörter falsch geschrieben.
Schreibe den Text richtig auf.
Tim macht heute ...

Was weißt du schon von den Wörtern?

Tim macht heute für alle das Frühstück. Er holt Buter,
Brot, Äpfel und eine flasche Milch. Vater und Mutter
sitzen schon am Tisch. sie bitten Tim, noch die Tüte mit
dem Müsli zu holen. Morgen dekt der Vater den Tisch.

95

Das habe ich in dem Kapitel gerne ☺, nicht so gerne ☺,
gar nicht gerne ☹ gemacht:

* das Rätsel auf der Seite 87 gelöst
* das Klassenfrühstück mit vorbereitet
* die Müsli-Mischung zubereitet
* den Bananen-Shake ausprobiert
* den Tisch-Spruch aufgesagt
* meine Lieblingsspeise vorgestellt
* erkundet, woher die Lebensmittel kommen, die wir essen
* …

1 Schreibe mindestens drei Dinge auf, die du gemacht hast.
Setze einen passenden Smiley dazu.

2 Stelle mit den Lebensmitteln,
die im Kapitel genannt werden,
ein leckeres Frühstück zusammen.
Gestalte eine Frühstückskarte.

Das macht Spaß!

viele Kinder zum Frühstück …laden,
ein Rezept …suchen,
einen Kuchenteig …schmecken,
Brownies …schenken,
die Puddingschüssel …lecken,
allein …kaufen,
beim Geburtstag lange …bleiben

3 Finde heraus, welche Wortbausteine fehlen.
Schreibe richtig auf, was alles Spaß macht.

4 Welche Stolperstellen in den Wörtern musst du dir merken?
Was weißt du schon von den Wörtern?

k◯fen   h◯ß   fr◯en   die P◯se   t◯er   schr◯ben

der Fr◯nd   w◯ch   die Fr◯   die L◯te   l◯t   die Z◯t

Endlich freie Zeit!

Ein verrückter Nachmittag

Hier ist so einiges durcheinandergeraten.
Findet ihr es heraus?

von Freizeitaktivitäten berichten;
über die eigene Lieblingsbeschäftigung schreiben;
den Text prüfen

Keine Zeit für Langeweile

1 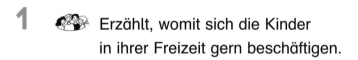 Erzählt, womit sich die Kinder
in ihrer Freizeit gern beschäftigen.

2 Was macht Melissa in ihrer Freizeit?
Welche Fragen würdest du Melissa stellen?

Wie oft hast du Training?

Wer ist Katrin?

?

> Ich gehe zum Judo-Training.
> Katrin sagt: Ich kann schon
> gut fallen und über die
> Schulter abrollen, ohne mir
> wehzutun. Gestern habe ich
> sogar meinen großen Bruder
> auf die Matte gelegt. Bald
> bekomme ich den gelben
> Gürtel.
>
> *Melissa*

3  Schreibe über deine Lieblingsbeschäftigung.

4 Lies dir deinen Text noch einmal
sorgfältig durch und prüfe ihn.

5 Mit euren Texten könnt ihr eine
„Plakatwand gegen Langeweile"
gestalten.
Ihr könnt zu euren Texten malen
oder Fotos mitbringen.

So geht's!

Einen Text unter die Lupe nehmen
Lies deinen Text laut und sorgfältig
durch. Überlege:
* Habe ich etwas vergessen?
* Wollte ich es so sagen?
* Klingt mein Text gut?

eine schriftliche Spielanleitung verstehen; das Spiel ausprobieren;
Aufgaben aufschreiben; Abzählverse sprechen;
sich in Medien über Spiele informieren

Gina spielt am liebsten **Befehlball**.
Das Spiel geht so:

Ein Werfer wirft den Ball hoch oder gegen
eine Wand. Die anderen Kinder rufen dem
Werfer immer eine Aufgabe zu. Zum Beispiel:
„Fange mit beiden Händen!" Oder:
„Steh auf einem Bein und fange den Ball!"
Die Aufgabe wird jedes Mal schwieriger.
Insgesamt hat das Spiel 13 Aufgaben.
Wenn der Ball zu Boden fällt,
kommt das nächste Kind an die Reihe.
Wer alle Aufgaben gelöst hat, hat gewonnen.

1 Lies die Spielanleitung.
Erkläre einem anderen Kind, wie das Spiel geht.
Probiert das Spiel aus.

Aufgaben für Befehlball
- den Ball mit beiden
  Händen fangen
- auf einem Bein stehen
  und fangen
- mit einer Hand fangen
- zweimal in die Hände
  klatschen und fangen
- ...

2 Überlegt euch 13 Aufgaben für Befehlball.
Schreibt sie auf ein Blatt Papier.
Denkt daran, die Aufgaben sollen
immer schwieriger werden.

3 Spielt in der Pause Befehlball
und sagt euch die Aufgaben an.
Zählt aus, wer zuerst Werfer ist.

Ene mene, mink
mank, pink pank,
ose bose backe dich,
eia weia weg.

lene, miene, mutte,
tien pond grutten,
tien pond kaas,
lene, miene, mutte,
is de baas.   (Niederlande)

Bir çık, iki içık,
üç çık, dört çık,
beş çık, altı çık,
yedi çık, sekiz çık,
dokuz çık, on çık,
sen gir, sen çık.

(Türkei)

4 Im Internet und in Spielebüchern könnt ihr
noch viele neue Spiele für euch entdecken.

www.zzzebra.de

Bücher, Bücher und noch mehr

1 Was ist eine Mediothek?

2 Welche Medien können sich die Kinder in der Mediothek
anschauen oder ausleihen? Schreibe sie auf.
Medien aus der Mediothek
Bücher, ...

3 Unterstreiche oder ergänze, was du dir gerne
in einer Mediothek ausleihen würdest.

4 Welche Regeln gelten in der Mediothek?
Schreibe sie auf.
Regeln in der Mediothek
1. Die Mediothek ist in jeder Pause geöffnet.

über verschiedene Möglichkeiten, Medien auszuwählen, sprechen;
Tipps sammeln, die die Auswahl erleichtern;
ein Buch/Hörbuch/Spiel begründet auswählen

Das Angebot in der Mediothek ist sehr groß.
So wählen Kirstin, Erkan und Leon etwas aus.

Das gefällt mir. Ich glaube, das wird spannend.

Dieses Mal möchte ich ein Hörbuch. Mal sehen, worum es hier geht.

Schon als die neue Lehrerin am ersten Tag des neuen Schuljahrs ins Klassenzimmer kam, spürten die Kinder der Dritten, dass sie etwas Besonderes war. Sie war ziemlich groß mit langen schwarzen Haaren und leuchtend grünen Augen. Sie trug knallenge Jeans und eine knallrote Bluse. An ihren Fingern funkelten gleich mehrere große Ringe und sie hatte die Fingernägel schwarz lackiert. Sie sah aus, als wollte sie in die Disco, nicht wie eine Lehrerin ...

Das ist bestimmt toll. Das Bild gefällt mir.

Die wilden Fußballkerle kämpften bis zur letzten Minute um den Sieg der Meisterschaft. Als sie gewinnen, schweben sie im siebten Fußballhimmel ...

1. Sprecht darüber, wie Kirstin, Erkan und Leon in der Mediothek etwas auswählen.
Wenn ihr die Medien kennt, erzählt, ob sie euch gefallen haben.
Ihr könnt sie euch auch besorgen.

2. Wie sucht ihr etwas aus?
Sammelt Tipps, die euch die Auswahl in der Mediothek erleichtern.

3. Wähle ein Buch, ein Hörbuch oder ein Spiel aus. Bring es mit in die Klasse.
Erkläre, welche Informationen du auf dem Einband oder der Verpackung gefunden hast.
Begründe, warum du dich dafür entschieden hast.

zu eigenen Lesevorlieben schreiben;
treffende Adjektive für Bücher und Geschichten finden;
eine Umfrage zu Lieblingsbüchern durchführen und auswerten

Wir lesen gern

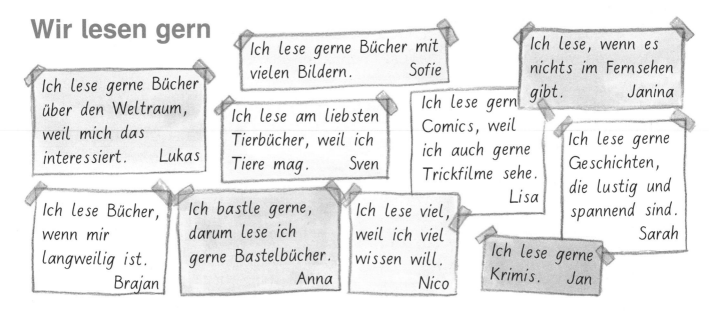

Ich lese gerne Bücher mit vielen Bildern. Sofie

Ich lese, wenn es nichts im Fernsehen gibt. Janina

Ich lese gerne Bücher über den Weltraum, weil mich das interessiert. Lukas

Ich lese am liebsten Tierbücher, weil ich Tiere mag. Sven

Ich lese gern Comics, weil ich auch gerne Trickfilme sehe. Lisa

Ich lese gerne Geschichten, die lustig und spannend sind. Sarah

Ich lese Bücher, wenn mir langweilig ist. Brajan

Ich bastle gerne, darum lese ich gerne Bastelbücher. Anna

Ich lese viel, weil ich viel wissen will. Nico

Ich lese gerne Krimis. Jan

1 Schreibe auf, ob und warum du gerne liest.
Sammelt eure Antworten an der Wandzeitung.

2 Schreibe auf, wie Bücher und Geschichten sein können.
Ordne die Adjektive (Wiewörter) zu.

Bücher sind	Geschichten sind

langweilig   alt   gut   dick   gruselig

kurz   schwer   neu   traurig

spannend   lang   groß   schön   lustig

3 Macht eine Umfrage in eurer Klasse zu euren Lieblingsbüchern.
Überlegt, wie ihr die Ergebnisse vorstellen wollt.

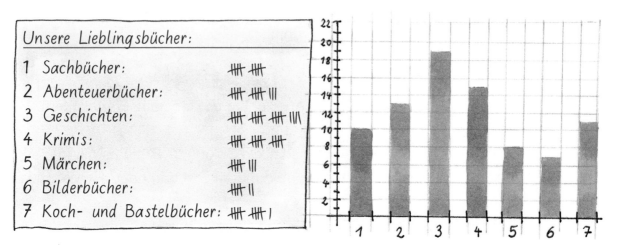

Unsere Lieblingsbücher:

1 Sachbücher: ₩₩ ₩₩
2 Abenteuerbücher: ₩₩ ₩₩ III
3 Geschichten: ₩₩ ₩₩ ₩₩ IIII
4 Krimis: ₩₩ ₩₩ ₩₩
5 Märchen: ₩₩ III
6 Bilderbücher: ₩₩ II
7 Koch- und Bastelbücher: ₩₩ ₩₩ I

Lieblingsbücher nach einem Muster vorstellen;
den Vortrag üben;
zum Umgang mit Büchern anregen

Ein Buch vorstellen

Titel: *Orki vom anderen Stern*

Autor: *Brigitte Endres*

Verlag: *KeRLE*

Worum geht es? *Orki ist ein Außerirdischer. Er landet auf Timos Dach, weil er am Sportufo seines Vaters herumgespielt und einen falschen Knopf gedrückt hat. Orki und Timo erleben gemeinsam viele spannende Abenteuer.*

Das gefällt mir an dem Buch: *Dass Orki und Timo so gute Freunde werden und dass Orki so lustig ist, er kann sogar Metall essen.*

Anna-Laura

1 Kennst du das Buch, das Anna-Laura hier vorgestellt hat? Möchtest du es gerne lesen? Begründe.

2 Schreibe einen Text zu deinem Lieblingsbuch. Gliedere ihn, wie Anna-Laura es getan hat.

3 Suche deine Lieblingsstelle im Buch. Übe, sie vorzulesen.

4 Stelle dein Lieblingsbuch in der Klasse vor. Lies deine Lieblingsstelle vor.

5 Gestaltet eine Wandzeitung mit euren Texten.

So geht's!

Einen Text vorlesen

* Lies deinen Text erst leise, dann halblaut.
* Überlege, welche Wörter du betonen möchtest.
* Mache kleine Pausen beim Lesen. Die Satzzeichen geben dir eine Hilfe.

Ideenecke

Das könnt ihr mit euren Lieblingsbüchern machen:

Gestaltet einen Büchertisch mit euren Lieblingsbüchern.

Stellt euch eure Lieblingsbücher gegenseitig vor.

Sucht euch einen Partner und lest gemeinsam in euren Lieblingsbüchern.

Verleiht euch gegenseitig eure Lieblingsbücher.

Lest euch aus euren Lieblingsbüchern vor.

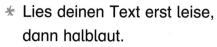

Pops Lese- und Lollis Rechtschreibforschertipps anwenden; Übungstext abschreiben;
Übungswörter trainieren; Wörter mit langem i; alphabetische Ordnung;
zusammengesetzte Nomen; Wörter bilden; Wortstamm markieren

Zeit für Bücher

Till, Lisa und Markus wollen heute von ihren Büchern
erzählen. Alle Kinder freuen sich auf diesen Tag.
Zuerst darf Till sein Buch zeigen: Es ist ein Sachbuch
über Computer. Lisa liest aus ihrem Buch vor, sie hat
dafür gut geübt. Markus liest nicht gern, er spielt lieber
oder sieht fern. Doch sein neues Buch über Fußball
gefällt ihm.

das	Buch
der	Computer
	erzählen
er	darf
	zeigen
	lesen
sie	liest
	üben
	fernsehen
er	sieht fern
	gut
	heute
	neu

1 ✎ In dem Text stehen viele Wörter mit langem **i**.
Schreibe sie auf. Was fällt dir auf?
ihren, ...

2 ✎ Ordne die Übungswörter nach dem ABC.
Buch, ...

3 ✎ In jedem Zopf stecken zwei Nomen (Namenwörter).
das Computerpiel – das Spielbrett, ...

BÜCHERWURMLOCH

VOGELBUCHFINK

KARTENSPIELGELD

COMPUTERSPIELBRETT

LIEBLINGSBUCHHANDLUNG

4 ✎ Mit diesen Bausteinen kannst du viele Wörter bilden.
Der Wortstamm **zeig** oder **Zeig** muss in allen Wörtern vorkommen.
vor<u>zeig</u>en, ...

vor	an	zeig		en	stock	tafel
			e			
An	Uhr	Zeig		er	st	t	finger

5 ✎ Schreibe mit jedem Übungswort einen Satz.
Oder:
Denke dir mit den Übungswörtern einen kleinen Text aus.
Unterstreiche die Übungswörter in deiner Lieblingsfarbe.

lange Wörter abschreiben; Silbenbögen;
verwürfelte Sätze ordnen; Großschreibung am Satzanfang,
Satzzeichen; Sätze bilden

1 ✎ In dem Fernseher stehen
viele lange Wörter.
Lies die Wörter halblaut.
Schreibe sie ab.
Zeichne die Silbenbögen
unter die Wörter.
Fernsehprogramm, ...

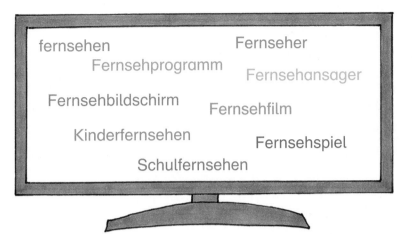

fernsehen   Fernseher
Fernsehprogramm   Fernsehansager
Fernsehbildschirm   Fernsehfilm
Kinderfernsehen   Fernsehspiel
Schulfernsehen

2 ✎ Ordne die verwürfelten Sätze.
Schreibe für jeden Satz zwei Möglichkeiten auf.
Einige Kinder dürfen heute ...

*Überlege,
woran du denken
musst.*

dürfen   heute   einige   ihr   Lieblingsbuch   Kinder   vorstellen

will   ihrem   aus   Lisa   Buch   vorlesen

zeigt   über   ein   Buch   Markus   Fußball   mit   Bildern   vielen

Sachbuch   ein   Till   zeigt   anderen   über   den   Computer

3 ✎ Auf der Lese- und Schreibstraße kannst du viele Sätze finden.
Oma liest gerne spannende Krimis.

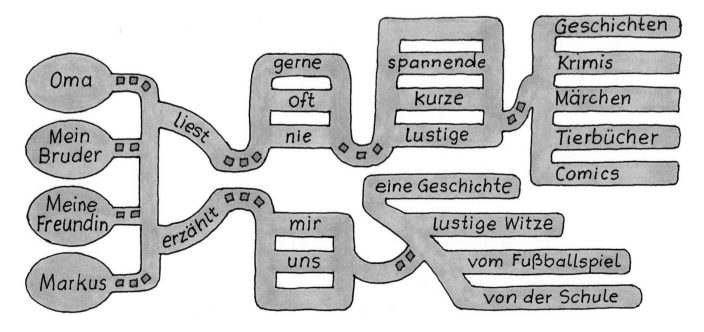

Helena, zeigst du mir dein Blatt?

Das wollte ich schaffen:
Ich wollte mein Lieblingsbuch in der Klasse vorstellen.

Das war besonders leicht:
Den Titel, den Autor und den Verlag herauszufinden.

Das war schwierig:
Ich musste den ganzen Inhalt in einer kurzen Zusammenfassung erzählen.

Das gefiel mir:
Ich durfte allen von meinem Lieblingsbuch erzählen.

Darüber habe ich mich gefreut:
Ich habe das geschafft und alle haben hinterher geklatscht.

1 ✏️ ▱ Was wolltest du in diesem Kapitel schaffen? Schreibe es wie Helena auf.

> Berichten, was ich am liebsten in meiner Freizeit tue.

> Anderen ein Spiel erklären.

> Eine Mediothek kennen lernen und lernen, wie man sie benutzt.

> Einen Text gut betont vorlesen.

> Mein Lieblingsbuch in der Klasse vorstellen.

> ?

Bennis Buchvorstellung

Das Buch ist aus dem Thienemann Verlag und hat 140 Seiten.
Ich finde es richtig spannend und das gefällt mir.
In dem Buch kommen Leo, Lena und Lutz vor. Einmal
sieht Leo, wie ein Kranwagen einen Fahrradständer
und sein Fahrrad auflädt und wegfährt. Die drei Freunde
können dann der Polizei bei der Aufklärung helfen.
Das Buch heißt „Wir drei aus der Pappelstraße –
der Fahrradklau".
Geschrieben hat es Elisabeth Zöller.

2 ✏️ Ordne Bennis Text so, dass man sich das Buch besser vorstellen kann.
Du kannst auch noch einmal im Kapitel nachschlagen.

3 ✏️ ▱ Das beste Buch, das ich kenne, heißt: ...

Staunen, entdecken und erfinden

Hallo, ich bin Jonas!
Passend zu unserem Thema habe ich dieses Foto gefunden.
Ich bin sehr gespannt, ob ihr darauf kommt, was es darstellen könnte.
Viel Spaß beim Knobeln!

einen Lexikontext lesen; unbekannte Wörter klären;
Wörter zum Thema Erfindungen suchen;
Gedicht mit langen Wörtern flüssig lesen

Vom Suchen und Erfinden

1 Lies den Lexikontext genau. Verstehst du alle Wörter?

2 Erkläre mit eigenen Worten, was eine Erfindung ist.

3 Was ist ein Patent?

4 Welche Wörter fallen euch zum Thema **Erfindungen** ein?
Überlegt gemeinsam.

> **Erfindungen:** Alle technischen Geräte und Maschinen musste sich jemand ausdenken und auch herstellen, das heißt **erfinden**. Manche Erfindungen wurden durch Zufall gemacht. Wenn jemand eine Erfindung schützen lassen will, meldet er ein ➜ Patent an.
> Täglich wird etwas erfunden, aber nicht von allen Erfindungen erfährt man. Das können zum Beispiel kleine Bauteile in einer Maschine sein. Es gibt jedoch berühmte Erfindungen, die für die Menschheit besonders wichtig sind:
> ➜ Rad ➜ Telefon ➜ Computer.

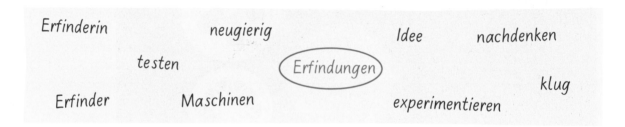

Erfinderin   neugierig   Idee   nachdenken

testen   Erfindungen

Erfinder   Maschinen   experimentieren   klug

Erfindungen bewundern

Ein erster Erfinder erfand einen
KRONENKORKENENTFERNER.
Ein zweiter Erfinder erfand eine
KRONENKORKENENTFERNERMASCHINE.
Ein dritter Erfinder erfand einen
KRONENKORKENENTFERNERMASCHINENAUTOMATEN.
Ein vierter Erfinder erfand einen
KRONENKORKENENTFERNERMASCHINENAUTOMATENENTFERNER.

Hans Manz

5 Übe besonders die langen Wörter, bis du sie flüssig lesen kannst.

6 Wähle eine Erfindung aus und male ein Bild davon.
Schreibe den Namen der Erfindung dazu.

mit dem Internet umgehen; Internetpfade suchen
und aufschreiben; eine Erfindung im Internet erkunden,
einen Steckbrief dazu schreiben

1   Lest, was die Kinder sagen.
Erklärt die Wörter, die nicht alle Kinder kennen.

2   Findet heraus, welcher „Pfad" im Internet zu Erfindungen führt.

3   Schreibe auf, wie du im Internet etwas über Erfindungen finden kannst.
Mein Internetpfad zu Erfindungen

4   Erkundet im Internet,
wie die Pizza erfunden wurde.
Oder:
Erkunde im Internet eine Erfindung,
die du selbst auswählst.

Erfindung:

Erfinderin oder Erfinder:

Wann erfunden:

Wo erfunden:

Wofür erfunden:

5   Schreibe einen Steckbrief über die Erfindung,
über die du dich im Internet informiert hast.

6   Stelle die Erfindung in der Klasse vor.

sich über Margarete Steiff und den Teddybären
verständigen; Sätze geordnet aufschreiben;
Teddybären beschreiben

Bärenstarke Erfindungen

Das ist Margarete Steiff.
Sie lebte in der Nähe von Ulm.
Als Kind erkrankte sie an
Kinderlähmung. Darum musste
sie immer im Rollstuhl sitzen.
Margarete Steiff besaß
mit ihrem Neffen
Richard eine
Nähwerkstatt
für Stofftiere.

Name:	55 PB, Teddy
Größe:	55 cm (sitzend)
Material außen:	Plüsch
Material innen:	Holzwolle
Augen:	Glas
Besonderheit:	bewegliche Arme und Beine

1 Was hast du über Margarete Steiff erfahren?
Was ist für dich besonders interessant?

2 Wenn du die Satzstreifen richtig ordnest,
erfährst du mehr über die Erfindung des Teddybären.

Er stellte ihn auf einer Messe aus.

Im Jahre 1902 entwarf Richard einen Bären.

Aber niemand wollte den Bären kaufen.

Dieser Amerikaner benannte ihn nach dem amerikanischen Präsidenten Theodore „Teddy" Roosevelt.

So begann der Siegeszug des Teddybären.

Nur ein Amerikaner bestellte 3000 Stück.

3 Schreibe die Sätze in der richtigen Reihenfolge auf.

4 Beschreibe deinen eigenen Teddybären.
Oder:
Beschreibe dein Lieblingskuscheltier.

zu einer Bildgeschichte erzählen;
zu den Bildern schreiben;
Wörter mit Auslautverhärtung; Wortverlängerung

Die Erfindung des Hans Riegel aus Bonn

1 Erzählt, was Hans Riegel erfunden hat. Wie ist er vorgegangen?

2 ✎ Schreibe zu jedem Bild einen Satz.

Oder:

Schreibe eine Geschichte über Hans Riegel mit der Überschrift:

Die Erfindung der Gummibären

Die Erfindun🐻 der Gummibären
war ein riesiger Erfol🐻.
Jedes Kin🐻 hat sie zum Freun🐻.
Auch Erwachsene stecken sich
gern Gummibären in den Mun🐻.
Alle naschen, wenn irgendwo ein
Kor🐻 mit dieser Leckerei steht.
Jeden Ta🐻 werden achtzig Millionen
Gummibären verkauft.

Verlängerungs-Tipp

Wenn du bei einem Wort nicht
weißt, ob der letzte Buchstabe ein
b, **d** oder **g** ist, dann verlängere
das Wort:
die Erfindungen – die Erfindung

3 ✎ Schreibe den Text ab. Setze dabei die fehlenden Buchstaben ein.
Wende den Verlängerungs-Tipp an.

Fragen zum Text beantworten;
einen verwürfelten Satz ordnen und aufschreiben;
durch den Text angeregt, in der Bücherei ein Buch ausleihen

Es gibt immer etwas zu erfinden

Vor zwei Wochen ist
ein neuer Nachbar eingezogen.
Mit dem Mann
hat noch keiner richtig geredet.
Aber die ganze Nachbarschaft
redet über den neuen Hausbewohner.
Denn der neue Hausbewohner
gibt seinen Nachbarn
wirklich manches Rätsel auf.
Beim Einzug
kam er mit fünf Möbelwagen.
Fünf Möbelwagen
für einen einzigen Mann!
In den Möbelwagen waren
nur große, silberne Kisten.
Mindestens hundert silberne Kisten.
Da muss man sich nicht wundern,
wenn die Leute über ihn reden.
Manche rätseln …

KNISTER

Ist das vielleicht ein Zauberer?

Was mag in den Kisten sein?

Was war denn noch in den Möbelwagen?

Und wie sieht der Mann aus?

…

PROFESSOR
JUSTUS TURBOZAHN
ERFINDUNGEN ALLER ART

Auf dem Türschild steht was von Erfindungen.

1 Lest den Text. Was erfahrt ihr über den neuen Hausbewohner?
Welchen Beruf hat er?

2 Jonas freundet sich mit dem neuen Hausbewohner Professor Turbozahn an.
Und er hat einen Wunsch. Den Wunsch erfährst du,
wenn du die Puzzleteile richtig ordnest.

und die ihm die Hose

eine Sockensuch-

Er wünscht sich

Jonas wünscht sich eine Maschine,

und das Hemd anzieht.

die im Zimmer seine Socken sucht

Anziehmaschine.

3 Schreibe den Wunsch, den Jonas hat, auf.

4 Wenn du wissen möchtest, was Professor Turbozahn
mit seiner neuesten Erfindung erlebt,
kannst du dir das Buch in der Bücherei ausleihen.

sich über die Vorschläge für Erfindungen verständigen;
das Aussehen einer Erfindung beschreiben,
die Erfindung malen und vorstellen

Das müsste noch erfunden werden

ein Computer, der die Hausaufgaben allein macht und ausdruckt
Aaron

Sevgül

eine Zimmeraufräummaschine
Carl

ein Stift, der kein Wort falsch schreibt
Hanna

ein Brötchenaufschneider
Linus

eine Schultasche, die leicht bleibt, auch wenn ich sie ganz voll packe
Lisa

Ein Brötchenaufschneider ist ganz praktisch. Denn dann hätte sich meine Schwester am Sonntag nicht in den Daumen geschnitten.

1 Lest die Pinnwandzettel.
Erklärt, warum sich die Kinder diese Erfindungen wünschen.

2 Entscheide dich für einen Vorschlag, der an der Pinnwand hängt.
Schreibe, wie die Erfindung aussehen kann. Male die Erfindung.
Oder:
Überlege dir einen eigenen Vorschlag für eine Erfindung.
Schreibe, wozu die Erfindung wichtig ist und wie sie aussieht.
Du kannst sie auch malen.

3 Stellt eure Ideen in der Klasse vor.

Pops Lese- und Lollis Rechtschreibforschertipps anwenden;
Übungstext abschreiben; Übungswörter trainieren; Nomen und Verben
erkennen; Nomen mit Artikel; Wörter bilden; Wortstamm markieren

die	Erfindung
der	Bär
die	Lehrerin
die	Geschichte
das	Wort
	erzählen
	finden
	wissen
	geben
	können
	bauen
	spannend
	sehr
	mehr

Die Erfindung des Teddybären

Die Lehrerin erzählt ihrer Klasse von der Erfindung
des Teddybären. Die Kinder finden die Geschichte sehr
spannend und wollen noch mehr wissen. Sie geben am
Computer das Suchwort ein. Das können sie schon.
Am nächsten Tag bringen alle ihre Teddybären mit und
bauen sie auf einem Tisch in der Klasse auf.
Die Klasse 2 ist nun bärenstark!

1 ✎ Die Lösungswörter der Geheimschrift stehen
bei den Übungswörtern.

1 die Lehrerin, …

2 ✎ Schreibe alle Nomen (Namenwörter) und alle Verben (Tunwörter)
aus dem Text geordnet auf.

Nomen (Namenwörter): die Erfindung, …
Verben (Tunwörter): erzählt, …

3 ✎ 📖 Was die Menschen einmal erfunden haben:

Finde die Nomen (Namenwörter) und schreibe sie
mit ihrem Artikel (Begleiter) auf.

das Auto, …

4 ✎ Mit diesen Bausteinen kannst du viele Wörter bilden.
Der Wortstamm **find** muss in allen Wörtern vorkommen.

abfinden, …

Ab	Er	Be	Emp		en	lich	keit
				find			
ab	er	be	emp		er	ung	in

114

1 ✎ Sprich die Wörter. Was hörst du am Wortende?

Schreibe die Wörter in eine Tabelle. Schreibe zuerst die Mehrzahl.

Mehrzahl	Einzahl
die Hände	die Hand

die Han   das Wor   der Schran   das Bro

die Erfindun   das Gel   der Her   der We

das Schil   der Kor   das Ra   der Mun

b?   *d?*   *g?*   *k?*   *t?*

2 ✎ Mit dem Satzschieber kannst du viele Sätze schreiben.

Mein Vater gibt uns eine Tüte Gummibärchen.

Die Lehrerin	gebe		einen großen Teddybären.
Mein Vater	gibt	uns	ein Buch über Erfindungen.
Ich	geben	meiner Schwester	eine Tüte Gummibärchen.
Sie		der Klasse	die Internetadresse.
Er		mir	ein spannendes Hörbuch.
Wir		dem Freund	das Wort.
…		…	…

3 👦👧 Suche dir einen Partner.

Schreibt mit euren Sätzen aus Aufgabe 2 ein Partnerdiktat.

4 ✎ Hier stimmt etwas nicht. Schreibe die Sätze richtig auf.

Die Klasse 2 findet …

die klasse 2 findet die Geschichte über die erfindung des teddybären sehr spannend. die kinder wollen mehr darüber wissen. niemand hat gewusst, dass der teddybär schon vor über 100 jahren erfunden wurde. felix sucht mit einer suchmaschine im internet. dort findet er sehr viel über die teddybären. die texte sind aber lang und schwer. die lehrerin muss einige wörter und sätze erklären.

1 Was weißt du schon über das Internet? Schreibe es auf.
Oder:
Was kannst du schon im Internet? Schreibe es auf.

2 Welche Erfindung hat dich in diesem Kapitel besonders interessiert?
Schreibe darüber.

Die Erfindung … fand ich besonders interessant, weil …
Das würde ich gerne darüber noch erfahren: …

3 Wenn du die Sätze in der richtigen Reihenfolge liest,
lernst du noch eine Erfindung kennen.

Mit dieser Zange kann man Schneebälle formen.

Ralph und Judy Maerz leben in Kanada.

Und sie funktioniert auch so.

Sie sieht aus wie die Zange, die du aus einer Eisdiele kennst.

Beide erfanden 1989 eine Schneeballzange.

Diese Schneebälle haben die besten Flugeigenschaften.

Herbst

Äpfel untersuchen

Wenn ihr einen Ausflug macht, entdeckt ihr vielleicht am Feldrand oder am Weg Apfelbäume, um die sich keiner mehr kümmert. Dort findet ihr wahrscheinlich Falläpfel am Boden. Oder ihr bringt Äpfel und Blätter aus dem Schulgarten mit oder aus dem eigenen Garten oder ...

Das braucht ihr:

So wird es gemacht:

- Zuerst die Äpfel und Blätter genau anschauen.
- Den Apfel so durchschneiden:
- Das Gehäuse genau anschauen und abzeichnen.
- Alle Kerne herausholen und zählen.
- Wenn ein zweiter Apfel da ist: So durchschneiden und das Gehäuse untersuchen.

Apfelmus schmeckt gut

Gründlich waschen.

Für jedes Kind einen Apfel. Mit etwas Wasser kochen, bis die Stücke zerfallen. Zitronensaft je nach Geschmack.

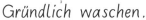

Die gekochten Äpfel durch das Sieb drücken. In der Schüssel abkühlen lassen. Wer mag, kann den Brei noch süßen. Guten Appetit.

Ein Apfelbaum für die Klasse

Das braucht ihr:
- einen großen Bogen Packpapier
- Wachsmalkreide und Deckfarben
- kleine Falläpfel
- Blätter vom Apfelbaum

So wird es gemacht:
- Malt mit Kreide einen großen Baum auf das Packpapier. Denkt an den Stamm, dickere Äste und dünnere Zweige.
- Halbiert kleine, harte Falläpfel, bestreicht sie mit gelber und roter Farbe und druckt sie in die Baumkrone.
- Druckt auch grüne Blätter dazwischen.

Pony, Bär und Apfelbaum

Mitten im Wald ist eine Wiese. Auf der Wiese steht ein Stall.
Hinter dem Stall wächst ein Apfelbaum. Dort lebte einmal ein Pony.

Jedes Jahr im Herbst, wenn alle von den fallen, fielen auch die

ins . Dann fraß das , bis sein Bauch so dick war wie ein

aufgeblasener .

Doch an einem schönen Herbstmorgen waren die verschwunden.

Nicht ein einziger hing mehr am , obwohl am Abend vorher

noch alle voll gehangen hatten.

Nicht ein einziger lag mehr im . Da wurde das sehr traurig.

Sigrid Heuck

1 Übe, den Text laut vorzulesen. Ersetze die Bilder durch passende Wörter.

2 Schreibe den Text auf. Setze für die Bilder die Wörter ein.

Dem Pony fiel ein, dass Äpfel nicht von allein weglaufen können.
Es beschloss, die Äpfel zu suchen.

3 Schreibe und male die Geschichte weiter.

Der Apfelkönig

Der verzauberte
Apfelbaum

Im Schlaraffen-
Apfelland

4 Wähle ein Bild aus und schreibe eine Geschichte dazu.
Hängt eure Texte in der Klasse aus. Lest sie euch gegenseitig vor.

Apfelspiel

Zeichnet auf eine große Pappe
je einen Apfel für Start und Ziel.
Spurt mit einem Bleistift eine Verbindung.
Schneidet eine Apfelschablone aus.
Zeichnet auf die Spur viele Äpfel.
Malt die Äpfel unterschiedlich an:
• gelb für normale Felder
• grün mit Wurm
• rot für ...
Legt Spielregeln fest und schreibt sie auf.
Jetzt braucht ihr noch einen Würfel und
für jeden Mitspieler oder jede Mitspielerin
eine Spielfigur.

Kastanienspiel

Das braucht ihr:

• ein großes Handtuch oder einen
  Bogen Packpapier als Spielfeld
• für jedes Kind zwei gleich
  große Kastanien
• einen Zapfen oder Stein
  als Wurfkugel

Spielvorschlag

Eine Mannschaft beginnt: Sie wirft zuerst die Wurfkugel.
Nacheinander rollt jedes Kind seine Kastanie möglichst nah
an die Wurfkugel.
Jetzt ist die nächste Mannschaft an der Reihe.

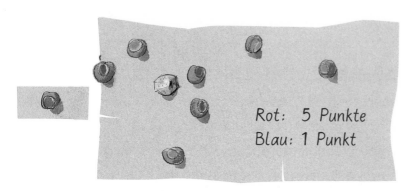

Rot: 5 Punkte
Blau: 1 Punkt

Punkte zählen

Für die Kastanie, die am
dichtesten an der Wurfkugel
liegt, erhält die Mannschaft
drei Punkte, für die nächste
zwei und für die Kugel an
dritter Stelle einen Punkt.
Einigt euch, wie viele Punkte
zum Sieg notwendig sind.

Winter

Ein Geschichtenbaum als Adventskalender

Das braucht ihr:

- eine große Pappe
- leere Klopapierrollen – so viele, wie ihr Kinder in der Klasse seid
- Deckfarbe oder Wachsmalkreide
- rotes und gelbes Papier
- Scheren
- Klebstoff

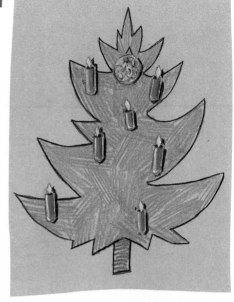

So wird es gemacht:

Malt einen riesengroßen Weihnachts-
baum auf die Pappe.

Beklebt die Rollen mit rotem Papier.

Eine Seite muss geschlossen sein.

Das werden die Kerzen.

Schneidet aus gelbem Papier Flammen
und klebt sie an die Rollen.

Klebt die fertigen Kerzen an den Baum.

Jedes Kind sucht sich nun eine Geschichte

aus oder erfindet eine. Schreibe deine Geschichte auf,

rolle das Blatt auf und stecke es in eine Kerze.

Jeden Tag darf ein Kind eine Geschichte vorlesen. Macht es euch gemütlich.

Ihr könnt schon im November mit St. Martin beginnen.

Baumschmuck aus Wachs

Jogurtbecher

kaltes Wasser

Tropfe in das Wasser dicht
aneinander Wachs, bis eine
dicke Schicht entsteht.

Das Wachs
abkühlen
lassen und
die Platte
heraus-
nehmen.

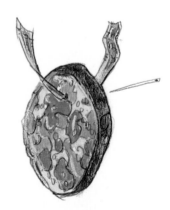

Mit einer heißen Nadel
ein Loch stechen
und Schmuckband zum
Aufhängen durchziehen.

Wunschkerze

Stellt eine Kerze auf einen Tisch oder auf den Boden. Bildet einen Kreis um die Kerze. Je ruhiger ihr seid, desto weniger flackert die Kerze. Überlegt in der Stille einen Wunsch, den ihr eurem Nachbarn im Kerzenkreis schenken wollt.

Das kann ein Wunsch zum Weihnachtsfest sein oder für das neue Jahr.

Jetzt macht ein Kind den Anfang: Es nimmt die brennende Kerze und reicht sie an ein Nachbarkind weiter. Dabei sagt es seinen Wunsch.

Der Reihe nach sagen alle Kinder ihre Wünsche, bis die Kerze wieder beim ersten Kind ankommt.

1 Weihnachtswünsche verschenken.

Am Schneesee

Es war einmal ein See, der war immer voll Schnee, darum nannten ihn alle Leute nur Schneesee.

Um diesen Schneesee wuchs Klee, der Schneeseeklee, der wuchs rot und grün, und darin äste ein Reh, das Schneeseekleereh, und dieses Schneeseekleereh wurde von einer Fee geliebt ..., der überaus anmutigen Schneeseekleerehfee.

Diese Fee hatte, wie alle Feen dieser Gegend, sechsundsechzig Zehen, fünfundsechzig zum Gehen und einen zum Drehen, und dieser sechsundsechzigste Zeh war natürlich der Schneeseekleerehfeedrehzeh.

Zehendrehen macht schrecklich viel Spaß, doch einmal ...

Franz Fühmann

2 Was könnte der Schneeseekleerehfee beim Zehendrehen passiert sein? Erzählt die Geschichte weiter.

Das Eskimo-Spiel

Das braucht ihr:

- Mütze, Schal, Handschuhe,
  Weste oder Anorak
- einen Eimer
- ein Angelspiel

Die Eskimos sitzen in ihrem Iglu
(in einer Zimmerecke) und würfeln.
Auf dem Boden liegen Mütze, Schal,
Handschuhe ...
Wer eine „6" würfelt, darf Fische angeln
gehen. Doch vorher muss er die Sachen
anziehen. Dann läuft er zum Eisloch
(Eimer) und angelt dort. Die anderen
würfeln weiter. Würfelt jemand eine „3", rufen alle laut: „Der Eisbär kommt!"
Nun muss der Angler zum Iglu und zurück zum Eisloch laufen. Er darf so
lange weiterangeln, bis der Nächste eine „6" hat.

Die verwunschenen Kinder

Alle sitzen im Kreis und hören
eine ruhige Musik. Ein Kind
erzählt dazu eine Geschichte
von verwunschenen Kindern.
Sie sind in Steine verwandelt
worden und sitzen in einer
Höhle. Mit einem Zauberstab
(Bleistift, Lineal, ...) kann es
die sitzenden Kinder erlösen.
Jeder Körperteil, den es berührt,
bewegt sich langsam zur
Musik. Wenn der Zauberstab
auf das Zauberkissen gelegt wird,
erstarren alle wieder zu Stein.

Schattentheater

Für eure Schattenbühne müsst ihr ein helles
Tuch zwischen zwei Kartenständern
aufhängen. Dann stellt ihr hinter das Tuch
eine helle Lampe.
Die Zuschauer sitzen vor dem Tuch. Verdunkelt
den Raum. Was hinter dem Tuch gespielt wird,
sehen die Zuschauer als Schatten.
Probiert aus, wie es am besten wirkt.
Überlegt, welche Geschichte aus eurem
Adventskalender ihr spielen wollt.

Frühling

Osterwiese

Legt ein wasserfestes Tablett oder eine Aluschale mit Watte aus. Befeuchtet die Watte mit einem Pflanzensprüher. Streut gleichmäßig Kressesamen darüber. Die Watte darf nicht austrocknen.

Nach einigen Tagen sind die Samen aufgegangen und kleine Kressepflänzchen gewachsen. Jetzt könnt ihr bunte Eier auf dieser kleinen Wiese verstecken oder mit ausgeblasenen Eiern ein Eierdorf entstehen lassen.

Grüne Kresseköpfe

Das braucht ihr:
- Eierschalen
- Blumenerde
- Kressesamen
- Pappstreifen
  (15 cm lang,
  4 cm breit)
- Klebstoff
- Wollreste
- Farbstifte

So wird es gemacht:
- Füllt die Eierschalen mit Erde.
- Streut Kressesamen darauf und haltet sie feucht (Pflanzensprüher).
- Aus dem Pappstreifen wird ein bunter Eierhalter. Bemalt den Streifen. Fügt ihn zu einem Ring zusammen.
- Probiert aus, wie eng der Ring sein muss, und klebt ihn fest.
- Malt das Ei-Gesicht und verziert es mit Wollresten.

Wenn die Kresse gut gewachsen ist, könnt ihr sie abschneiden und ein Eibrot damit belegen.

Eine Schaukel-Ei-Gesellschaft

① Ein Ei ausgießen und dann ausspülen.

③ Bemalen und verzieren.

② Klebstoff und Kugeln aus einer Gardinenschnur einfüllen, bis das Ei allein steht.

Der Hase mit der roten Nase

Es war einmal ein Hase
mit einer roten Nase
und einem blauen Ohr.
Das kommt ganz selten vor.

Er hat im Gras gesessen
und still den Klee gegessen.

Die Tiere wunderten sich sehr:
Wo kam denn dieser Hase her?

Und als der Fuchs vorbeigerannt,
hat er den Hasen nicht erkannt.

Da freute sich der Hase.
„Wie schön ist meine Nase
und auch mein blaues Ohr!
Das kommt so selten vor."

Helme Heine

1 Setzt euch in der Gruppe zusammen.
Jedes Kind lernt eine Strophe des Gedichts
auswendig. Tragt es gemeinsam vor.

So kam der Hase zu seiner roten Nase
Bald sollte Ostern sein. Familie Langohr
hatte viel zu tun. Überall standen die
Eimer mit gelber, blauer und roter
Farbe. Als Hans die blaue Farbe holen
wollte, passierte es ...

2 Was passierte dann? Schreibe die Geschichte
zu Ende.

3 Bastle für jemanden, den du magst,
eine Osterkarte.

So geht es:
- Falte ein Zeichenblatt einmal in der Mitte.
- Schneide aus Ton- oder Buntpapier Hasen,
  Wiese und Eier aus.
  Klebe sie auf die Vorder-
  seite.
- Schreibe auf die Innen-
  seite deinen Ostergruß.

Was steckt in dem Riesenei?

4 Schreibe einen Text zur Bildergeschichte: _Das Riesenei_

Eierschieben

(für zwei und mehr Kinder)

Zwei runde Stangen (zum Beispiel Besenstiele)
stecken mit dem einen Ende in der Erde.
Das andere ruht auf einer Kiste, sodass eine
schiefe Ebene entsteht. In der schmalen
Rinne zwischen den
beiden Stangen
lässt ein Kind
nach dem
anderen
sein Ei in das
Gras hinunterrollen.
Wessen Ei beim Aufkommen
das liegende Ei eines anderen „speckt", also
berührt, bekommt von dessen Besitzer das gespeckte Ei.

Eierrollen

(für zwei und mehr Kinder)

Auf „Los!" lassen die Kinder
je ein Ei den Berg hinunter-
kullern. Wessen Ei zuerst unten
anlangt (oder am weitesten
gerollt ist), hat alle anderen
Eier gewonnen. Das Wett-
kugeln kann auch bergauf
vor sich gehen.

Die Pflanzenhochzeit

1. Die Pflan-zen woll-ten Hoch-zeit hal-ten auf dem grü-nen Ra - sen.

1.–10. F i - de - ra - la - la, fi - de - ra - la - la, fi - de - ra - la - la - la - la.

2. Als Braut trug Anemone die feine Blütenkrone.
3. Der Mohn als stolzer Bräutigam, der hat ein rotes Fräcklein an.
4. Der Löwenzahn, der Löwenzahn, das war der würd'ge Herr Kaplan.
5. Brautmutter war die Bohne, saß dick auf ihrem Throne.
6. Es hatte Fräulein Distel im Zahne eine Fistel.
7. Drum konnte sie nicht tanzen, das taten andre Pflanzen.
8. Besonders ungeraten benahmen sich die Tomaten.
9. Dann holte die Kartoffel der Braut die Filzpantoffel.
10. Nun ist die Pflanzenhochzeit aus und alle tanzen aus dem Haus.

Sommer

Luftblasen fangen

Wenn ihr am Strand Eimer, Becher, Flaschen und Ähnliches dabeihabt, könnt ihr damit experimentieren. Genauso wie ihr Wasser umgießen könnt, könnt ihr unter Wasser Luft umfüllen. Seid ihr geschickt genug möglichst alle Luft von einem Gefäß ins andere blubbern zu lassen? Was passiert, wenn die Gefäße unterschiedlich groß sind? Die Luftblasen lassen sich auch in der Wanne oder in einer Schüssel fangen.

Wasserturm mit Tricks für eure Sandburg

Das braucht ihr:
- eine Plastikflasche mit Schraubverschluss
- Knete
- einen spitzen Nagel oder eine dicke Nadel

So wird es gemacht:
- Stecht in die Flasche drei kleine Löcher. (Erwachsene helfen.)
- Verschließt die Löcher mit Knete.
- Füllt die Flasche ganz mit Wasser und dreht den Verschluss zu. Stellt sie oben auf eure Sandburg.

Probiert aus, was passiert,
- wenn ihr die obere Knete entfernt (Flaschenverschluss zu/auf),
- wenn ihr die mittlere Knete entfernt,
- wenn ihr beide Knetstücke entfernt
- oder wenn ihr ...

Zwei einfache Schiffe

Genau anschauen und nachbauen.

Reißzwecken

Korken

stabile Plastikfolie (Hefter oder aus einer Saftpackung)

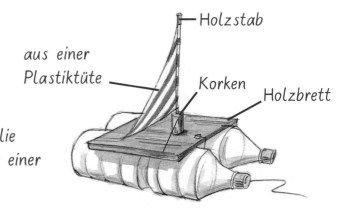

Holzstab

aus einer Plastiktüte

Korken

Holzbrett

Feriengeschichten

1 Welche Wörter fallen dir ein,
wenn du an die Ferien denkst?
Schreibe das Wort **Ferien** in die
Mitte eines großen Schreibblatts.
Schreibe drumherum möglichst schnell
alle Wörter, die dir dazu einfallen.

2 Unterstreiche das Wort oder mehrere Wörter,
zu denen du etwas schreiben möchtest.
Schreibe und male deine Feriengeschichte.

Feriensport

Ein Herr in Badehose stand
an einem wunderschönen Strand.
Der schlug sich vor die Stirn. Wieso?
Doch schlug er sich auch anderswo:
auf Schenkel, Schulter, Buckel, Bauch,
auf Hals, Ohr, Kinn, Knie, Wade auch.
Der Herr war, unter uns gesagt,
im Augenblick auf Mückenjagd.
Die Jagd schien sich zu lohnen:
Es trieben sie viele Personen.

Josef Guggenmos

3 Dieses Gedicht lässt sich ganz lustig vorspielen. Ihr braucht ein Kind,
das den Text spricht, und Kinder, die die Szene spielen.

4 Schreibe das Gedicht auf ein Blatt Papier. Ersetze einige Namenwörter (Nomen)
durch Bilder. Zum Schluss bestreiche freie Flächen auf deinem Blatt mit
Klebstoff. Streue Sand darauf. Fertig ist dein Schmuckblatt.

Butterbrot und Kuchen

Sucht euch am Seeufer glatte, flache Steine.
Jeder wirft einen Stein möglichst flach
übers Wasser, sodass er zweimal, dreimal oder
öfter auf dem Wasser hüpft.

Ein Hopser ist „trocken Brot",
zwei Hopser „Schmalzbrot",
drei Hopser „Butterbrot",
mehr Hopser „Kuchen".
Wer schafft die meisten
„Kuchen"?

Wasserstaffel

Das braucht jede Mannschaft:

• Wasser

• zwei Schüsseln

• verschiedene Gefäße, zum Beispiel

• ein Litermaß zum Nachmessen

Spielvorschlag

Bildet Mannschaften. Jede Mannschaft benutzt zuerst
Gefäß 1, um Wasser aus der Startschüssel zu schöpfen.
Es soll zum Ziel gebracht werden, ohne viel davon
zu verlieren. Dann folgt die Runde mit Gefäß 2 ...
Einigt euch, wie viele Durchgänge ihr machen wollt. Zum Schluss wird mit dem Litermaß
festgestellt, welche Gruppe am meisten Wasser in der Schüssel am Ziel hat.

Regensachenspiel

Auch im Sommer kann es manchmal regnen und dann braucht
man ein Spiel für drinnen, zum Beispiel das Regensachenspiel.
Auf dem Tisch liegen verdeckt alle Buchstaben des Alphabets
(bis auf X und Y). Das erste Kind zieht ein Kärtchen und dreht
es um. Darauf steht zum Beispiel der Buchstabe B. Das Kind
sagt: „Ich brauche bei Regenwetter eine Badekappe."
Das nächste Kind zieht ein D. „Ich brauche bei Regenwetter
eine Badekappe und einen Damenschirm." Und so weiter die
Reihe herum. Wer keine Regensache weiß oder etwas vergisst,
scheidet in dieser Runde aus.
Natürlich könnt ihr auch das **Sonnensachenspiel** spielen.

Wörter nachschlagen

In deiner **Wörterliste** und in **Wörterbüchern** sind die Wörter
nach dem Alphabet geordnet.
Wenn Wörter den gleichen Anfangsbuchstaben haben,
werden sie nach dem zweiten Buchstaben geordnet.
Wenn auch diese gleich sind, kommt es auf den dritten an.
Und so weiter.

Nomen (Namenwörter)

* Nomen (Namenwörter) sind in
  deiner Wörterliste **blau** gedruckt.
* Nomen (Namenwörter) haben
  einen großen Anfangsbuchstaben.
* Nomen (Namenwörter) haben die
  Artikel **der**, **die** oder **das**.
* Nomen (Namenwörter) gibt es in
  der **Einzahl** und in der **Mehrzahl**.

Verben (Tunwörter)

Verben (Tunwörter) sind in deiner
Wörterliste **rot** gedruckt.

Adjektive (Wiewörter)

Adjektive (Wiewörter) sind in deiner
Wörterliste **grün** gedruckt.

Andere Wörter

Wörter, die keine Nomen, Verben
oder Adjektive sind, sind in deiner
Wörterliste **schwarz** gedruckt.

H h

haben, er hat

du hast

sie hatte

das Haus, die Häuser

das Heft, die Hefte

helfen, er hilft

der Herbst

heute

hoch

der Hof, die Höfe

holen, sie holt

hören, er hört

die Hose, die Hosen

der Hund, die Hunde

Hund ist ein
Nomen (Namenwort),
da muss ich nur die
blauen Wörter
lesen.

 So geht's!

Wörter in der Wörterliste finden

1. Lies den Anfangsbuchstaben, zum Beispiel **H** bei **Hund**.
2. Suche den Anfangsbuchstaben **H/h** in der Wörterliste.
3. Lies die Wörter bei **H/h** durch.
4. Finde das Wort, das du suchst.

Wörterliste

A a

ab

alle

der Apfel, die Äpfel

der April

die Arbeit, die Arbeiten

    arbeiten, sie arbeitet

die Aufgabe, die Aufgaben

das Auge, die Augen

der August

das Auto, die Autos

B b

backen, er backt

das Bad, die Bäder

    baden, sie badet

der Ball, die Bälle

    basteln, er bastelt

    bauen, sie baut

der Baum, die Bäume

das Bett, die Betten

du bist

    bitten, sie bittet

das Blatt, die Blätter

blau

    blühen, es blüht

die Blume, die Blumen

die Blüte, die Blüten

das Boot, die Boote

    brauchen, er braucht

der Brief, die Briefe

    bringen, sie bringt

das Brot, die Brote

der Bruder, die Brüder

das Buch, die Bücher

der Bus, die Busse

die Butter

C c

der Computer, die Computer

D d

dann

er darf

    decken, er deckt

der Dezember

der Dienstag, die Dienstage

    dies, diese, dieser, dieses

der Donnerstag, die Donnerstage

drei

    dürfen, er darf

E e

das Eis

die Eltern

die Ente, die Enten

    erzählen, er erzählt

essen, sie isst

euch

euer, eure

F f

fahren, sie fährt

fallen, er fällt

die Familie, die Familien

der Februar

die Feier, die Feiern

feiern, er feiert

die Ferien

fernsehen, er sieht fern

fest

finden, sie findet

die Flasche, die Flaschen

das Fleisch

fliegen, sie fliegt

fragen, er fragt

die Frau, die Frauen

der Freitag, die Freitage

fressen, es frisst

sich freuen, sie freut sich

der Freund, die Freunde

die Freundin, die Freundinnen

früh

der Frühling

das Futter

G g

der Garten, die Gärten

geben, er gibt

der Geburtstag, die Geburtstage

gehen, sie geht

gelb

das Geld, die Gelder

das Gemüse

er gibt

gießen, er gießt

groß

grün

gut

H h

haben, er hat

du hast

sie hatte

das Haus, die Häuser

das Heft, die Hefte

helfen, er hilft

der Herbst

heute

hoch

der Hof, die Höfe

holen, sie holt

hören, er hört

die Hose, die Hosen

der Hund, die Hunde

I i

ihm

ihn

ihnen

ihr, ihre, ihren

sie isst

J j

das Jahr, die Jahre

der Januar

der Juli

der Junge, die Jungen

der Juni

K k

kalt

sie kann

die Katze, die Katzen

kaufen, er kauft

kennen, sie kennt

das Kind, die Kinder

die Klasse, die Klassen

das Kleid, die Kleider

klein

kommen, er kommt

können, sie kann

der Kopf, die Köpfe

kosten, es kostet

der Kuchen, die Kuchen

kurz

L l

lachen, sie lacht

lang

laufen, er läuft

laut

leben, sie lebt

legen, sie legt

der Lehrer, die Lehrer

die Lehrerin, die Lehrerinnen

leise

lernen, er lernt

lesen, sie liest

die Leute

das Lied, die Lieder

liegen, er liegt

sie liest

der Löffel, die Löffel

die Luft, die Lüfte

M m

das Mädchen, die Mädchen

der Mai

der Mann, die Männer

der März

mehr

das Messer, die Messer

die Milch

mir

die Mitte

der Mittwoch, die Mittwoche

er möchte

der Monat, die Monate

der Montag, die Montage

morgen

der Müll

müssen, sie muss

die Mutter, die Mütter

N n

die Nacht, die Nächte

der Name, die Namen

die Nase, die Nasen

nehmen, er nimmt

neu

neun

nicht

sie nimmt

der November

O o

oben

das Ohr, die Ohren

der Oktober

P p

das Papier, die Papiere

die Pause, die Pausen

die Pflanze, die Pflanzen

pflanzen, sie pflanzt

der Platz, die Plätze

die Post

prüfen, er prüft

die Puppe, die Puppen

putzen, sie putzt

Q q

quer

R r

raten, er rät

das Regal, die Regale

der Regen

reisen, sie reist

der Ring, die Ringe

rot

rufen, sie ruft

S s

sagen, er sagt

der Salat, die Salate

der Samstag, die Samstage

der Satz, die Sätze

sauber

scheinen, **sie** scheint

die Schere, **die** Scheren

das Schiff, **die** Schiffe

schlafen, **er** schläft

schmecken, **es** schmeckt

schmücken, **sie** schmückt

der Schnee

schnell

schön

schreiben, **er** schreibt

der Schuh, **die** Schuhe

die Schule, **die** Schulen

die Schüssel, **die** Schüsseln

die Schwester, **die** Schwestern

schwimmen, **sie** schwimmt

der See, **die** Seen

sehen, **sie** sieht

sehr

der September

sieben

sie sieht

sie sind

singen, **er** singt

sitzen, **sie** sitzt

der Sommer, **die** Sommer

die Sonne, **die** Sonnen

der Sonntag, **die** Sonntage

das Spiel, **die** Spiele

spielen, **er** spielt

sprechen, **sie** spricht

die Stadt, **die** Städte

stehen, **er** steht

der Stein, **die** Steine

die Straße, **die** Straßen

suchen, **sie** sucht

die Suppe, **die** Suppen

T t

die Tafel, **die** Tafeln

der Tag, **die** Tage

die Tasche, **die** Taschen

die Tasse, **die** Tassen

tauchen, **er** taucht

der Teller, **die** Teller

tief

das Tier, **die** Tiere

der Tisch, **die** Tische

der Topf, **die** Töpfe

die Torte, **die** Torten

tragen, **sie** trägt

trinken, **er** trinkt

die Tüte, **die** Tüten

U u

üben, **er** übt

die Uhr, **die** Uhren

uns

unser

unten

unter

V v

der Vater, die Väter

viel

viele

vier

der Vogel, die Vögel

voll

vom

von

vor

vorbei

W w

der Wald, die Wälder

wandern, sie wandert

warm

warten, er wartet

waschen, sie wäscht

das Wasser

der Weg, die Wege

weich

das Weihnachten

weinen, er weint

weiß

sie weiß

weit

wenn

werden, sie wird

das Wetter

die Wiese, die Wiesen

er will

der Wind, die Winde

der Winter, die Winter

sie wird

wissen, er weiß

die Woche, die Wochen

wohnen, sie wohnt

die Wolke, die Wolken

wollen, sie will

das Wort, die Wörter

wünschen, er wünscht

Z z

der Zahn, die Zähne

zeichnen, sie zeichnet

zeigen, er zeigt

die Zeit, die Zeiten

zum

zur

zusammen

Kapitel	Sprechen und Zuhören	Lesen – mit Texten und Medien umgehen	Schreiben – Texte schreiben
Ich und die anderen Seite 5–16 	Bilder als Erzählanlässe (6/7, 10/11); eigene Erlebnisse erzählen (7/10); über den Sinn von Regeln nachdenken (7/10); über Streitursachen nachdenken, Konfliktlösungsmöglichkeiten besprechen und begründet vereinbaren (10/11); Rollenspiel, stimmliche Ausdrucksmöglichkeiten erproben (11); über Lernerfahrungen sprechen; Lernergebnisse präsentieren (16)	Arbeitsanweisungen lesen und verstehen (6–16); ABC-Gedicht lesen/auswendig lernen (8); einen Sachtext lesen, gezielt Informationen entnehmen (8); Fragen zu Bildern beantworten (6/10/11); einen Text betont vorlesen (16)	Sätze zu einem Bild schreiben (6); Regeln für die Klasse notieren (7/10); ABC-Gedicht abschreiben (8); ein Namenblatt gestalten (9); Lückentext (Streitgeschichte) vervollständigen (10); Entschuldigungssätze aufschreiben (11); zu Bildern eine Geschichte schreiben (11); Text über die eigenen Lernerfahrungen schreiben; einen Schluss erfinden (16)
Wir schnuppern, schauen und spüren Seite 17–26 	zu Bildern eigene Erlebnisse erzählen (18/19/21); Gedicht betont vortragen (19); Laute erkennen (22); Erlebnisse mit Sinneswahrnehmungen erzählen (17); einfache Spielszenen im personalen Spiel (20); über Lernerfahrungen sprechen (26)	Arbeitsanweisungen lesen und verstehen (18–26); Fragen zu Texten beantworten (19, 21); Gedicht lesen/vortragen (19)	Sätze richtig aufschreiben (18); literarischer Schreibanlass: zu Gedichten schreiben/Paralleltext verfassen (21); Sätze über die eigenen Lernerfahrungen schreiben (26)
Sonne, Luft und Regen Seite 27–36 	zu Bildgeschichten fabulieren (28/29/33); Wettererscheinungen und das subjektive Empfinden besprechen (28); Sprachspiel (31); eine Geschichte zuhörend verstehen (33); eigene Texte vortragen (28/33); über Lernerfahrungen sprechen; sich gegenseitig Fragen zum Kapitel stellen (36)	einen diskontinuierlichen Text lesen, verstehen und Informationen entnehmen (27–32); Arbeitsanweisungen lesen und verstehen (28–36); Lückentexte lesen und verstehen (29, 31); einen Sachtext lesen und verstehen (31); Lesestrategie: Habe ich das richtig verstanden? Fragen beantworten (31); Sprachspiel (31)	zum Thema Wetter frei fabulieren (28); Texte schreiben; Schreibanregungen nutzen (32); verwürfelte Sätze richtig aufschreiben (30/32); Lückentext vervollständigen (31); zu einer Bildgeschichte schreiben; einen Schluss erfinden und dazu malen (33); zu einem Bild schreiben (36); Schreibstrategie: eine Schreibidee entwickeln (36)
Wie die Zeit vergeht Seite 37–46 	Chronologie von Abläufen beschreiben (38); über Texte sprechen (39/42); Assoziationen zu einem Bild entwickeln (41); eigene Erlebnisse zum Zeitempfinden erzählen (41); Redensarten deuten (41); eine eigene Geschichte zu Bildern erzählen (43); über Lernerfahrungen sprechen (46)	Arbeitsanweisungen lesen und verstehen (38–46); Gedichtstrophen ordnen und vorlesen (38); Informationen aus Texten entnehmen, Textaussagen überprüfen (40)	Gedichtverse ordnen und gestaltend aufschreiben (38); einen chronologischen Ablauf aufschreiben (38); Sätze/Texte über Uhren/das subjektives Zeitempfinden die Namen der Wochentage/die Monate (40/41/42/43); Schreibstrategie „Schreibpausen" kennen lernen und anwenden (41); einen Wochenplan schreiben (42); Wörtersammlung als Schreibhilfe für eigenen Text nutzen (43); einen reflektierenden Text zu den Monaten oder Jahreszeiten schreiben (46)
Von Haustieren und anderen Tieren Seite 47–56 	Erlebnisse mit Lieblingstieren oder Haustieren erzählen (48); Gespräch spielen, eigene Meinung bilden (49); Fragen zu einem Text beantworten (50); einen Witz erzählen (51); zu Bildern erzählen (53); über Lernerfahrungen sprechen (56)	Arbeitsanweisungen lesen und verstehen (48–56); Tabelle lesen und deuten (48); Informationen aus verschiedenen Medien sammeln (49); Sachtext sinnerfassend lesen, gezielt Informationen entnehmen (50); Lesestrategie „Nutzen von Sinnstützen/Überschrift" anwenden (50); einen Witz lesen (51); Texte Bildern zuordnen (52)	Erlebnisse mit Tieren aufschreiben (48); Dialogtext schreiben (49); zu einem Bild schreiben (50); Kriterien für eine Suchanzeige entwickeln, Suchanzeige schreiben (51); Gedanken und Gefühle zu einer Bildgeschichte aufschreiben; einen Schluss erfinden; eine Bildgeschichte schreiben; eine passende Überschrift ausdenken (53); Informationen über Tiere aufschreiben (56)
Woher und wohin? Seite 57–66 	Standorte/Wege von Personen auf Bildern beschreiben (58/59); eigene Schulwegerlebnisse erzählen (58); andere Kinder nach dem Schulweg befragen (58); nach Bildvorgabe Spielszenen entwickeln (60); sprachliche Ausdrucksmöglichkeiten erproben (60); Geschichteninhalte zuhörend verstehen (61); zu Texten erzählen (63); über Lernerfahrungen sprechen (66)	Arbeitsanweisungen lesen und verstehen (58–66); Zeichenlegende für Textverständnis nutzen (59); Aufforderungssätze lesen/ mit Nachdruck sprechen (60); in kurzen Texten gezielt Informationen finden (62/63); Fragen und Antworten zum Text schreiben (62)	sprachliche Ausdrucksmöglichkeiten für Orts- und Richtungsangaben lernen und in Sätzen/Texten anwenden (59); Texte über den Schulweg unter Verwendung von Zeichen schreiben (59); Dialog zu einer Bildszene schreiben (60); Aufforderungssätze schreiben (60); nach Vorgaben Texte schreiben, Schluss, Überschrift erfinden (61); Sätze zu/in den Satzarten schreiben (66)

Schreiben – Rechtschreiben

Großschreibung von Namen (6); Sätze vollständig aufschreiben (6, 7, 9); Alphabet kennen lernen, alphabetische Ordnung üben, Nutzen alphabetischer Ordnung (Nachschlagen) erfahren (8/9); Sätze abschreiben (11); einen Text abschreiben (16)

Rechtschreibkurs:
Übungstext lesend erforschen (12); über schwierige Wörter nachdenken; Stolperstellen in Wörtern erkennen; Signalgruppen erkennen und Analogien bilden (13); Abschreibstrategie kennen lernen und anwenden (14/15); Silben zusammensetzen; Nomen nach dem Alphabet ordnen; Wörter mit ass; einfache Sätze nach Mustern schreiben (15); Übungswortschatz trainieren (14/15)

Verben im Satzzusammenhang flektiert einsetzen/gebrauchen (18); Großschreibung von Nomen (20/26); Selbstlaute/Mitlaute kennen lernen; lange/kurze betonte Selbstlaute abhören/kennzeichnen/in Minimalpaaren unterscheiden (22/23/25/26)

Rechtschreibkurs:
Übungstext lesend erforschen; über schwierige Wörter nachdenken; Stolperstellen in Wörtern erkennen und markieren; Signalgruppen erkennen und Analogien bilden; Übungstext abschreiben; Übungswörter trainieren; Wörter einprägen in sechs Schritten (24); in Geheimschriften (vertauschte Selbstlaute, Strichcode) Übungswörter entschlüsseln; Selbstlaute abhören; einfache Sätze nach Mustern schreiben; Großschreibung von Nomen (25)

Großschreibung am Satzanfang, Satzschlusszeichen: Punkt (30/36); Großschreibung der Nomen anwenden (29/30/32); Komposita mit Artikel schreiben (29); Wörter mit ie (30)

Rechtschreibkurs:
Übungstext lesend erforschen; über schwierige Wörter nachdenken; Stolperstellen in Wörtern erkennen und markieren; Signalgruppen erkennen und Analogien bilden; Übungstext abschreiben; Übungswörter trainieren; Partnerdiktat (34); Nomen nach Artikel ordnen; Silben zusammensetzen; Wörter mit ieg; verpurzelte Sätze ordnen; Satzschlusszeichen Punkt anwenden; Nomen in der Wörterliste suchen (35)

Satzgrenzen erkennen; Satzschlusszeichen „Punkt" anwenden (38); Nomen in die Mehrzahl setzen (39); Umlaute (39); Nomen mit Artikeln schreiben (46); Nomen in Einzahl/Mehrzahl setzen (46)

Rechtschreibkurs:
Übungstext lesend erforschen; über schwierige Wörter nachdenken; Stolperstellen in Wörtern erkennen und markieren; Signalgruppen erkennen und Analogien bilden; Übungstext abschreiben; Übungswörter trainieren; Übungswörter nach dem Alphabet ordnen; Nomen in Einzahl/Mehrzahl setzen, auf Umlaute achten; Reimwortübung (44); Großschreibung der Nomen/am Satzanfang; Satzschlusszeichen Punkt; Partnerdiktat; mit dem Satzschieber Sätze bilden; fehlende Selbstlaute erkennen; Sätze bilden (45)

Fragesätze/Fragezeichen erkennen/anwenden (49/50); Verkleinerungsformen mit Umlautung schreiben (51); Verben im Satzzusammenhang flektiert verwenden (52)

Rechtschreibkurs:
Übungstext lesend erforschen; über schwierige Wörter nachdenken; Stolperstellen in Wörtern erkennen und markieren; Signalgruppen erkennen und Analogien bilden; Übungstext abschreiben; Übungswörter trainieren; Dosendiktat; in Geheimschrift Übungswörter entschlüsseln; Übungswörter anhand von Signalgruppen erkennen (54); Stammprinzip: Komposita mit Katzen bilden; Wörter mit atz; einfache Sätze nach Mustern schreiben; Verben im Satzzusammenhang flektiert verwenden (55)

Aufforderungssätze/Ausrufezeichen (60, 66); Imperativformen anwenden (60); Wörter mit St/st, Sp/sp im Anlaut üben (61, 66)

Rechtschreibkurs:
Übungstext lesend erforschen; über schwierige Wörter nachdenken; Stolperstellen in Wörtern erkennen und markieren; Signalgruppen erkennen und Analogien bilden; Übungstext abschreiben; Übungswörter trainieren; Wörter mit St/st oder Sp/sp in der Wörterliste suchen; Wörter mit eh; Sätze bilden (64); Satzschlusszeichen richtig anwenden; Sätze nach vorgegebenen Mustern bilden; Lese- und Schreibstraße (65)

Sprache und Sprachgebrauch untersuchen

Wer-Fragen zu einem Bild in kurzen Sätzen beantworten (6); mit Namen umgehen: in Sätzen gebrauchen, ordnen, sammeln (6, 9); über Wortbedeutungen nachdenken (12); mit dem Satzschieber sinnvolle Sätze bilden (15)

Nomen entdecken; Terminus Nomen kennen lernen; nach Oberbegriffen ordnen; in Wortreihen semantische Unverträglichkeiten entdecken (20); Umgang mit Artikel (20); über Wortbedeutungen nachdenken (23)

aus verwürfelten Wörtern Aussagesätze bilden, Satzschlusszeichen (30); bestimmter und unbestimmter Artikel als Begleiter des Nomens; Terminus Artikel (Begleiter) (29); Komposita bilden (29); Nomen nach Oberbegriffen ordnen (32)

Einzahl/Mehrzahl kennen lernen; Veränderungen in der Mehrzahl kennzeichnen; Umlaute bei der Mehrzahlbildung (39); Umgang mit Verben, Verben in Satzzusammenhängen anwenden (40); Komposita erkennen (46)

Fragesatz/Fragezeichen kennen lernen (49); Frageformen in verschiedenen Situationen anwenden, Satzschlusszeichen beachten (49); Fragewörter (49); Bildung der Umlaute bei Verkleinerungsformen (51); Begriff Verb kennen lernen; Umgang mit Verben in der Grundform und im Satz; Veränderbarkeit von Verben erfahren (52); Verben erkennen; Verben sinngerecht zuordnen (56)

Wirkung verschiedener Satzformen erproben; Aufforderungen erkennen; Satzschlusszeichen (60, 66); Einsatz sprachlicher Mittel reflektieren (60, 66); sich in fremden Sprachen orientieren (63)

Schreiben – Rechtschreiben

Sprache und Sprachgebrauch untersuchen

Adjektive in Sätzen/Texten gebrauchen (69, 71); Wörter mit V/v üben (70)

Rechtschreibkurs:
Übungstext lesend erforschen; über schwierige Wörter nachdenken; Stolperstellen in Wörtern erkennen und markieren; Signalgruppen erkennen und Analogien bilden; Übungstext abschreiben; Übungswörter trainieren; Übungswörter nach dem Alphabet ordnen; Wörter mit aa, ee, oo; Komposita mit Garten (74); Sätze mit treffenden Adjektiven schreiben; Sätze nach vorgegebenen Mustern bilden; Verben, Nomen und Adjektive markieren; Text ohne Selbstlaute entschlüsseln, richtig aufschreiben, im Partnerdiktat üben (75)

Semantik von Adjektiven im Sinnzusammenhang erfahren; Begriff Adjektiv kennen lernen; Adjektive in Sätzen/Texten entdecken/gebrauchen (68–71, 76); Gegensatzpaare von Adjektiven (71); Komma bei Aufzählungen kennen lernen (70)

Stammprinzip am Beispiel der Wortfamilie Wohn/wohn (79) und Fahr/fahr (86); Verben in Satzzusammenhängen verwenden (79/80); Wörter mit doppeltem Mitlaut (81, 86); Adjektive schreiben (82)

Rechtschreibkurs:
Übungstext lesend erforschen; über schwierige Wörter nachdenken; Stolperstellen in Wörtern erkennen und markieren; Signalgruppen erkennen und Analogien bilden; Übungstext abschreiben; Übungswörter trainieren; Wörter mit doppeltem Mitlaut in der Wörterliste nachschlagen; Nomen, Adjektive und Verben erkennen und schreiben; Wörter mit ell; Übung zu Wortfamilien (84); Riesensätze bilden; Sätze nach vorgegebenen Mustern bilden; Lückentext vervollständigen; Dosendiktat; Texte in Geheimschrift (verrutschte Buchstaben) entschlüsseln (85)

Nomen Oberbegriffen zuordnen (78); Termini Wortstamm, Wortfamilie (79); Wortfamilien zusammenstellen (79, 86)

Aussagesätze geordnet aufschreiben; Großschreibung am Satzanfang; Satzschlusszeichen (88); Doppellaute/ Zwielaute kennen lernen (89, 96); Großschreibung von Nomen/Komposita (90); Ableitung von Verben durch vorangestellte Wortbausteine (93, 96)

Rechtschreibkurs:
Übungstext lesend erforschen; über schwierige Wörter nachdenken; Stolperstellen in Wörtern erkennen und markieren; Signalgruppen erkennen und Analogien bilden; Übungstext abschreiben; Übungswörter trainieren; Wörter mit eck; Verben im Satzzusammenhang flektiert verwenden; Wortstamm markieren (94); Verben mit vorangestellten Wortbausteinen bilden, in Satzzusammenhängen verwenden; Satzteile zusammenfügen; Satzschlusszeichen ergänzen; Wörter mit au, ei, eu bilden; Fehler in einem Text finden (95)

Komposita und Riesenwörter bilden (90); Wörter zum Ausdrücken der zeitlichen Reihenfolge kennen lernen (91); sich in fremden Sprachen orientieren (91/92); Verben mit vorangestellten Wortbausteinen kennen lernen; Veränderung der Wortbedeutung durch Wortbausteine erfahren und in Sinnzusammenhängen anwenden (93, 96)

Fachwörter aus dem Medienbereich (100); Adjektive sinnvoll zuordnen (102)

Rechtschreibkurs:
Übungstext lesend erforschen; über schwierige Wörter nachdenken; Stolperstellen in Wörtern erkennen und markieren; Signalgruppen erkennen und Analogien bilden; Übungstext abschreiben; Übungswörter trainieren; Wörter mit langem i; Übungswörter nach dem Alphabet ordnen; Wörter entflechten; Wörter mit der Wortfamilien Zeig/zeig bilden; Sätze bilden (104); lange Wörter lesen, Silben markieren; verpurzelte Sätze ordnen, Großschreibung am Satzanfang, Satzschlusszeichen beachten; Lese- und Schreibstraße (105)

sich in fremden Sprachen orientieren (99); Wortschatzerweiterung: Fachbegriffe zum Thema Mediothek (100)

Nomen mit b, d, g im Auslaut; Rechtschreibstrategie: Wörter verlängern (111)

Rechtschreibkurs:
Übungstext lesend erforschen; über schwierige Wörter nachdenken; Stolperstellen in Wörtern erkennen und markieren; Signalgruppen erkennen und Analogien bilden; Übungstext abschreiben; Übungswörter trainieren; Geheimschriften entschlüsseln; Nomen und Verben aus einem Text aufschreiben; Arbeit mit der Wörterliste üben; Nomen mit Artikel schreiben; Wörter der Wortfamilie find (114); Auslautverhärtung durch Mehrzahlbildung erkennen; Sätze nach vorgegebenen Mustern bilden; Partnerdiktat; Großschreibung von Satzanfängen und Nomen im Text erkennen (115)

Verstehensprobleme in Texten benennen/ lösen; Wortschatzerweiterung: Fachbegriffe zum Thema Erfindungen (108); Wortverlängerung bei Auslautverhärtung (111)

LolliPop
Sprachbuch 2

Herausgegeben von
Gisela Dorst

Erarbeitet von
Christine Berthold
Gisela Dorst
Gudrun Hütten
Inge Kanduls
Hartmut Kulick
Klaus Ohnacker
Britta Sauerwein
und der Cornelsen Redaktion Primarstufe

Unter Einbeziehung der Ausgabe von
Gisela Dorst, Hartmut Kulick, Ursula Neidhardt,
Manfred Pollert, Alice Pöner

Redaktion: Friederike Hensel, Cornelia Ostberg
Bildrecherche: Peter Hartmann
Illustration: Catharina Westphal, Gabriele Heinisch,
Daniel Napp, Silvio Neuendorf, Silke Voigt
Umschlaggestaltung: tritopp, Silvio Neuendorf
Layoutkonzept und technische Umsetzung: tritopp

www.cornelsen.de

Die Internetadressen und -dateien, die in diesem Lehrwerk angegeben
sind, wurden vor Drucklegung geprüft. Der Verlag übernimmt keine
Gewähr für die Aktualität und den Inhalt dieser Adressen und Dateien
oder solcher, die mit ihnen verlinkt sind.

1. Auflage, 1. Druck 2007 / 06

Alle Drucke dieser Auflage sind inhaltlich unverändert und können
im Unterricht nebeneinander verwendet werden.

© 2007 Cornelsen Verlag, Berlin

Druck: CS-Druck CornelsenStürtz, Berlin

ISBN 978-3-06-081116-8

 Inhalt gedruckt auf säurefreiem Papier aus nachhaltiger Forstwirtschaft.

Textquellen
S. 19 Max Kruse: Mein Glück. Aus: Hans-Joachim Gelberg: Geh und
spiel mit dem Riesen. Erstes Jahrbuch der Kinderliteratur. Weinheim,
Berlin, Basel: Beltz und Gelberg 1971. S. 21 Christine Nöstlinger:
Rosalinde hat Gedanken im Kopf. Hamburg: Verlag Friedrich Oetinger
1981. S. 31 Im Wind. Nach: Christian Hoerburger/Manuela Widmer:
Musik- und Bewegungserziehung. Donauwörth: Auer 1992. S. 38
KNISTER/Paul Maar: Am Morgen steht die Sonne tief. Aus: Frühling,
Spiele, Herbst und Lieder. Ravensburg: Ravensburger Buchverlag Otto
Maier Verlag 1981. S. 62/63 Überall gehen Kinder in die Schule – Oscar
und Bogna. Nach: Oscar aus Bolivien und Bogna aus Polen. Aus:
Barnabas und Anabel Kindersley: Kinder aus aller Welt. Übersetzt von
Anne Braun. Bindlach: Loewe Verlag 1995. S. 73 Christina Björk/Lena
Anderson: Linnéa und die schnellste Bohne der Stadt (Auszug). Aus dem
Schwedischen von Angelika Kutsch. München: C. Bertelsmann
Jugendbuch Verlag 1980. S. 77 Hans Manz: Kinder allesamt (gekürzt).
Aus: Die Welt der Wörter – Sprachbuch für Kinder und Neugierige.
Weinheim: Beltz und Gelberg 1991. S. 78 Emil Weber/Maria Enrica
Agostinelli: Fritzens ganze Familie. Aus: Ellermann-Spiel-Bilderbuch.
München: Ellermann 1977. S. 83 Anne Steinwart: Hannes lässt die
Fetzen fliegen (Auszug). Würzburg: Arena Verlag/Benziger Edition 1997.
S. 91 Franz Graf Pocci: Spissi spassi. Aus: Dorothée Kreusch-Jacob: Das
Liedmobil. München: dtv junior 1982. S. 101 Terence Blacker: Miss Wiss
ganz groß! (Auszug). Aus dem Englischen von Anu Stohner. Weinheim/
Basel: Beltz und Gelberg 2002. S. 101 Joachim Masannek: Die wilden
Fußballkerle – Rocce der Zauberer (Auszug vom Cover). CD. Frankfurt:
Baumhaus Verlag 2004. S. 108 Hans Manz: Erfindungen bewundern
(gekürzt). Aus: Lieber heute als morgen. Weinheim: Beltz und Gelberg
1988. S. 112 KNISTER: Die Sockensuchmaschine (Auszug, gekürzt,
geändert). Würzburg: Arena-Verlag 1989. S. 119 Sigrid Heuck: Pony, Bär
und Apfelbaum (Auszug). Stuttgart: K. Thienemanns Verlag 1977. S. 123
Franz Fühmann: Am Schneesee (gekürzt). Aus: Die dampfenden Hälse
der Pferde im Turm von Babel. Berlin: Der Kinderbuchverlag 1996. S. 127
Helme Heine: Der Hase mit der roten Nase. Köln: Gertraud Middelhauve
Verlag 1988. S. 131 Josef Guggenmos: Feriensport. Aus: Oh, Verzei-
hung, sagte die Ameise. Weinheim/Basel: Beltz und Gelberg 1990.

Bildquellen
S. 17 Annegret Fuchshuber (Abb.). Aus: Irina Korschunow: Jaga und der
kleine Mann mit der Flöte. München: Deutscher Taschenbuch Verlag
1994. S. 22 Cornelsen Verlag/Peter Wirtz, Dormagen. S. 41 Cornelsen
Verlag/Peter Wirtz, Dormagen. S. 50 Tierbild Toni Angermeyer, Holzkir-
chen. S. 51 picture-alliance/OKAPIA/Hans Reinhard. S. 53 Henning
Mankell: Ein Kater schwarz wie die Nacht. Hamburg: Verlag Friedrich
Oetinger 2000. Cover und Illustrationen Heike Vogel. S. 62 laif, Köln/
Grossmann. S. 63 CORBIS, Düsseldorf/Nation Wong. S. 70 picture-
alliance/OKAPIA/Hans Reinhard. S. 72/73 Christina Björk/Lena Anderson:
Linnéa und die schnellste Bohne der Stadt. München: C. Bertelsmann
Jugendbuch Verlag 1980. Cover und Illustrationen Lena Anderson. S. 77
Peter Wirtz, Dormagen. S. 78 Henrik Pohl, Berlin (oben links, oben
rechts); Cornelsen Verlag/Peter Wirtz, Dormagen (oben Mitte); Das
Fotoarchiv, Essen/Henning Christoph. S. 81 Cornelsen Verlag/Peter
Wirtz, Dormagen. S. 83 Anne Steinwart: Hannes lässt die Fetzen fliegen.
Würzburg: Arena Verlag/Benziger Edition 1997. Cover und Illustrationen
von Silke Brix-Henker. S. 98 Cornelsen Verlag/Peter Wirtz, Dormagen
(unten links, rechts); Philip Ostertag, Dannewerk (oben links); picture-
alliance/Godong/Lissac (unten Mitte); picture-alliance/dpa/web/Rolf Haid
(oben Mitte). S. 101 Terence Blacker: Miss Wiss ganz groß! Weinheim
Basel: Beltz & Gelberg 2002. Cover von Tony Ross/Max Bartholl. Joachim
Masannek: Die wilden Fußballkerle – Rocce der Zauberer. CD. Frankfurt:
Baumhaus Verlag 2004. Cover von Jan Birck. Philippe Bourseiller:
Vulkane – für Kinder erzählt. München: Knesebeck Verlag 2003. Cover.
S. 103 Brigitte Endres: Orki vom anderen Stern. Freiburg im Breisgau:
KeRLE im Verlag Herder 2006. Cover und Illustrationen von Wilfried
Gebhard. S. 106 Elisabeth Zöller: Wir drei aus der Pappelstraße – Der
Fahrradklau. Stuttgart: Thienemann 2002. Cover und Illustrationen von
Barbara Korthues. S. 107 VG Bild-Kunst, Bonn 2006. S. 109 www.
seitenstark.de. S. 110 picture-alliance/dpa stieff; picture-alliance/dpa/epa/
Michael Stephens. S. 112 KNISTER: Die Sockensuchmaschine.
Würzburg: Arena-Verlag 1989. Cover Wahed Khakdan.